REPÈRES
PRATIQUES
NATHAN

R

La littérature française

uteurs, œuvres, genres et mouvements

Cécile de Ligny - Manuela Rousselot

NATHAN

96 - 164565

© Editions Nathan, Paris 1992 - ISBN 2.09.177665-3
9, rue Méchain - 75014 Paris

Mode d'emploi

Divisé en six parties, l'ouvrage s'organise par doubles pages.
Chaque double page fait le point sur un thème.

à gauche

Une page synthèse présente toutes
les informations pour comprendre le
sujet de la double page.

à droite

Une page explication fait le point,
précise, illustre.

Un repérage
par siècle

Le titre de la
double page

Quelques lignes
d'introduction

Des biographies d'auteurs,
des informations sur leur œuvre,
des encadrés, des illustrations.

MOYEN ÂGE	
XVIᵉ SIÈCLE	
XVIIᵉ SIÈCLE	
XVIIIᵉ SIÈCLE	
XIXᵉ SIÈCLE	
XXᵉ SIÈCLE	

Les formes oniriques du romantisme

Le goût des atmosphères fantastiques, hérité de l'Angleterre et de l'Allemagne, anime les romantiques français ; ils en retiennent le sens du mystère et de l'évasion vers le rêve et la féerie.

▬▬ Les sources du fantastique : légendes et rêves

□ Le fantastique mélange réel et imaginaire. L'imagination se nourrit de mythologie et de légendes : apparition de divinités et d'êtres merveilleux (fées, monstres, chimères) et représentations de la vie après la mort (les enfers de l'Antiquité, le Ciel et l'Enfer du christianisme). Nerval établit des correspondances entre les divinités de l'Antiquité et les figures du christianisme (Isis et la Vierge).
□ La source la plus riche du fantastique est néanmoins le rêve : trésor extraordinaire à la portée de tous, qui confond et transforme les données du réel ; la demi-conscience est un état privilégié de confusion du réel et des rêves.

▬▬ Que rechercher dans cet univers étrange ?

□ Nodier y voit un moyen de renouveler le romantisme en recherchant les sensations fortes : dans les légendes populaires et dans le rêve, l'imagination crée des situations extrêmes et les sentiments apparaissent avec toute leur force.
□ Cette exploration permet d'atteindre le monde véritable, car le monde sensible n'en est qu'un reflet. Dans cet autre monde, le sort individuel se confond avec celui de l'humanité. Une fée guide le poète dans cette découverte : la fée aux miettes chez Nodier, diverses figures féminines chez Nerval, Ondine chez Aloysius Bertrand.
□ Pour Nerval, le monde des rêves est un refuge où se résolvent tous les remords et toutes les angoisses ; il ressuscite le bonheur passé, permet d'être compris, offre enfin l'image de la femme idéale : mère, épouse et divinité. Le monde réel et familier est lui aussi transformé : la conscience du poète fait apparaître le mystérieuse correspondance qui l'unit au monde surréel du rêve. Tout prend un aspect double, tout devient signe et symbole.

▬▬ L'écriture du rêve

□ Comment donner à l'écriture la souplesse du rêve et des songes ? Nodier opte pour la nouvelle, qui prend la dimension du roman avec *La Fée aux miettes*. Nerval pratique aussi la nouvelle mais cultive une écriture étrange. Il recherche les effets poétiques, par des associations de mots inattendues et par des sonorités étranges : le pouvoir de suggestion des formules ainsi créées dépasse le contenu intelligible. De plus, pour donner une impression de légèreté et de fluidité, il mêle sans cesse réel et imaginaire en confondant tous les temps : présent, passé et futur.
□ Aloysius Bertrand va encore plus loin : il invente le poème en prose qui, par ses espaces blancs et la souplesse de son rythme, exprime les mouvements de la pensée.

98

NERVAL : entre rêve et folie

Gérard Labrunie
Pseudonyme :
Gérard de Nerval
Né en 1808 à Paris
Mort en 1855 à Paris,
pendu à une grille

Amour : Jenny Colon, chanteuse et actrice, rencontrée en 1834 ; en 1838, elle épouse un flûtiste de l'Opéra Comique et meurt en 1842.
Voyages : Italie, Belgique, Allemagne, Autriche entre 1834 et 1840 ; Égypte, Liban, Syrie, Turquie en 1843.
Signe particulier : crises de folie qui le conduisent à plusieurs séjours chez le docteur Blanche (qui soigne aussi Maupassant) entre 1851 et 1855.

■ Les Chimères (1854)
Le poète garde le souvenir de son bonheur et de ses amours passées, mais s'interroge sur sa véritable identité. Delphica, femme idéale, l'invite à retrouver « l'ordre des anciens jours » à travers le désordre du présent. Beaucoup d'allusions savantes et d'ellipses donnent un style haché et souvent obscur, mais novateur et musical.

■ Sylvie (1854)
Trois figures de femmes apparaissent : Adrienne, la religieuse sublime, Aurélia, la puissance infernale, et Sylvie, la paysanne de l'enfance du narrateur. Pour le narrateur, la quête du bonheur aboutit à un échec : l'amour lui échappe car il refuse de le saisir quand il se présente. Mais l'œuvre est une réussite : le texte entrelace subtilement les temps (passé, présent, futur), le réel et les songes.

■ Aurélia (1855)
Alors interné dans le service psychiatrique du docteur Blanche, Nerval décrit ses hallucinations et essaye de les ordonner ; il y voit une expérience mystique qui le met en communication avec les mondes invisibles. Le récit se présente comme la quête d'une femme qui doit lui ouvrir la voie du salut éternel. Après l'avoir cherchée au ciel, en vain, le narrateur rencontre les formes du monde infernal (âmes des morts et dieux). Finalement, une divinité souriante (à la fois la Vierge, Isis, Aurélia et la mère du poète) le délivre de ses angoisses et lui apporte un éphémère triomphe.

Les Chimères : signification d'un titre
La chimère est un animal mythologique fascinant, monstre qui crache du feu, considéré comme un être maléfique. Pour Nerval, la femme est ainsi à la fois attrayante et redoutable. Le pays des chimères est aussi le monde onirique qui correspond au monde surréel créé par Nerval où tout se lie (passé, présent, futur, lumières, couleurs...).

99

Les sous-titres permettent de
repérer les grands points du sujet.

Moyen Âge

▬▬▬ Cinq siècles mouvementés

☐ Le Moyen Âge commence avec le règne d'Hugues Capet au IXe siècle et s'achève avec l'avènement de Charles VIII. Pendant cinq siècles, les frontières varient fortement. À la fin du XVe siècle se dessine à peu près la France d'aujourd'hui.

☐ L'opposition entre le nord et le sud, marquée par la différence des langues, prend fin à l'avantage du nord qui écrase la révolte des Albigeois au XIIIe siècle. La menace anglaise se fait sentir à plusieurs reprises. À la mort de Charles IV, le trône d'Angleterre revendique la couronne française. C'est le début de la guerre de Cent Ans qui dure de 1337 à 1453. Elle tourne un temps à la guerre civile, pour aboutir finalement au succès du roi Charles VII.

▬▬▬ Entreprises religieuses et motivations

☐ Une foi ardente anime les esprits. Elle se manifeste de manière spectaculaire par la construction des cathédrales (à partir du milieu du XIIe siècle), les grands pélerinages (St Jacques de Compostelle) et les Croisades, expéditions militaires organisées dès la fin du XIe siècle pour délivrer Jérusalem, tombée aux mains des Musulmans.

☐ Pourtant l'ardeur religieuse se manifeste rarement pure, elle est mêlée de peur superstitieuse ou de convoitises politiques et économiques. Ainsi les motivations des Croisés dérivent souvent vers le désir d'aventures et de conquêtes matérielles.

▬▬▬ L'idéal courtois et l'esprit bourgeois

☐ La féodalité repose sur un contrat de fidélité : le vassal se met au service du suzerain qui, en échange, lui assure sa protection. Les seigneurs, chargés de la protection militaire, partagent un même idéal : loyauté, force, courage. Cet idéal s'enrichit du culte de la Dame et de l'Amour, donnant naissance à la littérature courtoise.

☐ Dès le XIIIe siècle, les villes se développent : le commerce devient prospère, la bourgeoisie oppose à l'idéal courtois le sens des réalités matérielles. La littérature courtoise disparaît peu à peu, au profit de textes réalistes et satiriques.

▬▬▬ De l'anonymat au statut d'auteur

☐ Les jongleurs itinérants récitent des poèmes appris par cœur, qui reprennent des thèmes connus et sont enrichis d'ajouts successifs.

☐ Les clercs, plus savants, remanient des œuvres latines ou créent de nouveaux textes. Quand ils sont appréciés, ils participent à la vie d'une cour et sont reconnus comme auteurs d'œuvres nouvelles. Leurs noms deviennent célèbres et certains sont parvenus jusqu'à nous.

Moyen Âge LES FAITS MARQUANTS			
Règnes	**Vie politique**	**Littérature française**	**Les arts en France**
Xe siècle Hugues Capet (987-996)	843 — partage de l'Empire carolingien	880 — *Cantilène de Ste Eulalie*	IXe s. — chant grégorien fin Xe s. — premier art roman
XIe siècle	1096 — Première Croisade (prise de Jérusalem)	1040 — *Vie de St Alexis* vers 1080 — *Chanson de Roland*	1070 — second art roman 1099 — tapisserie de Bayeux
XIIe siècle Louis VII (1137-1180) Philippe Auguste (1180-1223)	1152 — Aliénor d'Aquitaine, répudiée par Louis VII, épouse Henri II d'Angleterre	1165-1191 — Chrétien de Troyes : romans vers 1170 — *Tristan et Iseut* 1175-1250 — *Roman de Renart*	XIIe s. — développement du chant polyphonique milieu XIIe s. — style gothique 1194 — cathédrale de Chartres
XIIIe siècle Saint Louis (1226-1270) Philippe le Bel (1285-1314)	1204 — IVe croisade (prise de Constantinople) 1209 — croisade des Albigeois 1291 — VIIIe et dernière croisade	1208 — Villehardouin : *La Conquête de Constantinople* vers 1229 — G. de Louis : *le Roman de la Rose* (1) vers 1260 — Rutebeuf : *le Miracle de St Théophile* vers 1275 — Adam de la Halle : théâtre profane vers 1275 — Jean de Meung : *le Roman de la Rose* (2)	1202 — cathédrale de Rouen 1220 — cathédrale d'Amiens 1280 — cathédrale d'Albi
XIVe siècle Charles IV (1322-1328) Charles le Fou (1380-1422)	1337 — Début de la guerre de Cent Ans 1346 — Crécy	1309 — Joinville : *Histoire de St Louis* 1370-1400 — Froissart : *Chroniques*	XIVe s. — gothique rayonnant 1334 — Palais des Papes en Avignon 1364 — G. de Machaut : *Messe à quatre voix*
XVe siècle Charles VII (1422-1461) Louis XI (1461-1483) Charles VIII (1483-1498)	1415 — Défaite d'Azincourt 1429 — Intervention de Jeanne d'Arc 1453 — Fin de la guerre de Cent Ans — Prise de Constantinople par les Turcs.	1442 — Charles d'Orléans : Poésies 1450 — Arnoul Gréban : *Mystère de la Passion* 1461 — F. Villon : *le Grand Testament* 1489-1498 — Commynes : *Mémoires*	XVe s. — gothique flamboyant

MOYEN ÂGE

XVIe SIÈCLE

XVIIe SIÈCLE

XVIIIe SIÈCLE

XIXe SIÈCLE

XXe SIÈCLE

La littérature d'inspiration religieuse

La culture médiévale est essentiellement religieuse. Elle trouve son expression dans les vies de saints, les sermons en vers et quelques représentations liturgiques à l'origine du théâtre.

La littérature hagiographique

☐ Les premiers textes en langue vulgaire sont des récits hagiographiques (récits de vies de saints). Le plus ancien est *La Cantilène de sainte Eulalie,* écrit vers 880. *La Vie de saint Alexis*, au milieu du XIe siècle, constitue un tournant littéraire : on y discerne un sens certain de la composition, de la narration, et les futures caractéristiques de l'épopée. Le succès des vies de saints ne cesse de croître tout au long du Moyen Âge ; il correspond à un souci d'édification morale.

☐ Avec la vie de saint Thomas Becket (1174), l'hagiographie se rapproche de la biographie historique ; l'auteur se montre soucieux d'exactitude et s'intéresse au contexte historique dans lequel a vécu son personnage.

Le drame religieux

☐ L'origine du théâtre est liturgique : les premières représentations sont de brèves illustrations des textes liturgiques et ont lieu lors des offices de Noël, de l'Épiphanie et de Pâques. Données en latin et jouées par des clercs jusqu'au milieu du XIIe siècle, elles empruntent leurs sujets à l'Ancien et au Nouveau Testament.

☐ Aux XIIIe et XIVe siècles, avec le succès grandissant des vies de saints, se développe le genre du miracle qui décrit l'intervention d'un saint dans la vie d'un de ses fidèles. Le miracle a pour but de montrer que le saint (souvent la Vierge Marie) est fidèle à ceux qui lui sont dévoués et les conduit au repentir et au salut.

☐ Petit à petit, la forme de la représentation change : le décor juxtapose plusieurs lieux ; ses dimensions obligent à sortir de l'église et à jouer sur le parvis.

Les mystères : un genre à grand spectacle

Parmi les spectacles religieux, le mystère connaît un grand succès au XVe siècle. Son sujet central est la Passion du Christ ; les auteurs remontent souvent à la naissance du Christ et au péché originel pour expliquer le sens de la Passion. La Terre apparaît comme le lieu de la lutte incessante entre le Bien et le Mal, rendue évidente par l'apparition sur scène de Dieu et du Diable. Les écrivains interprètent librement les textes sacrés, cultivant les scènes de genre et les épisodes comiques. Ces dernières scènes détachées de l'ensemble donnent naissance au théâtre comique. Le spectacle dure souvent plusieurs jours et compte parfois plusieurs centaines d'acteurs et des milliers de spectateurs (16 000 à Reims en 1490).

RUTEBEUF et GRÉBAN :
deux types d'inspiration religieuse

Rutebeuf
(sûrement d'origine modeste pour n'avoir qu'un surnom)
Né en 1230 (?)
Mort en 1285 (?)

Métiers : jongleur, c'est-à-dire homme de spectacle, mais aussi lecteur et auteur de poèmes ; il travaille sur commande.
Signe particulier : polémiste, défenseur des maîtres séculiers de l'Université de Paris dans la querelle qui les oppose aux Ordres Mendiants à propos des chaires universitaires.

Arnoul Gréban
Né vers 1420 au Mans
Mort en 1471

Activités : bachelier en théologie ; tient les orgues de Notre-Dame de Paris et en dirige la maîtrise.
Signe particulier : il travaille en collaboration avec son frère Simon pour la composition du *Mystère des Actes des Apôtres* (vers 1465).

■ Le Miracle de saint Théophile (1261)

Chef-d'œuvre de Rutebeuf, *Le Miracle de saint Théophile* raconte la révolte de Théophile qui, tombé dans le malheur, vend son âme à Satan pour obtenir la prospérité. Bientôt saisi de remords, il se tourne vers la Vierge qui le délivre de l'emprise de Satan. C'est un récit mis en scène dont la représentation se clôt par un *Te Deum* repris par l'assemblée.

L'œuvre est une allégorie du destin de Rutebeuf qui connaît des vicissitudes financières et un grand discrédit de son vivant. L'intensité dramatique vient du déchirement de Théophile, pris entre sa foi sincère et le sentiment d'une injustice criante.

■ Le Mystère de la Passion (1450)

Ce mystère compte 35 000 vers divisés en un prologue et quatre journées ; il met en scène 224 personnages. Il part de l'évocation du péché originel qui condamne l'humanité ; puis des personnages allégoriques évoquent l'envoi d'un Messie ; sont ensuite rappelés tous les épisodes de la vie du Christ jusqu'à la Résurrection ; les personnages allégoriques reviennent ensuite et tirent la moralité de la pièce.

Arnoul Gréban donne une dimension cosmique et tragique au drame de la Rédemption. Chaque grand moment est néanmoins ponctué d'un intermède de diableries : les diables commentent l'action avec force bouffonneries, qui détendent le public ou accroissent sa crainte.

Décor pour la représentation du *Mystère de la Passion* à Valenciennes en 1547.

| MOYEN ÂGE |
| XVIᵉ SIÈCLE |
| XVIIᵉ SIÈCLE |
| XVIIIᵉ SIÈCLE |
| XIXᵉ SIÈCLE |
| XXᵉ SIÈCLE |

La chanson de geste

> La chanson de geste, apparue en France à la fin du XVᵉ siècle, est une œuvre destinée à être récitée, qui rapporte des exploits guerriers (*gesta* en latin). Son sujet, inspiré par l'histoire des VIIIᵉ et IXᵉ siècles, est centré sur un héros qui acquiert sa grandeur au combat.

▬▬ Une épopée historique en vers

☐ La chanson de geste raconte l'épopée chrétienne d'un chevalier qui lutte contre les Sarrasins. La plus grande part est accordée aux récits de combats surhumains fortement exagérés et aux descriptions fabuleuses des combattants : un coup d'épée permet de fendre cavalier et cheval.

☐ Elle est écrite en vers (le plus souvent des décasyllabes) regroupés en strophes appelées « laisses », qui constituent chacune une unité narrative. La longueur de ces laisses varie dans une même chanson de geste. Il n'y a pas de rimes mais des assonances (simples répétitions de la voyelle finale du vers précédent).

▬▬ Le héros épique

☐ Le héros épique pratique deux vertus : le courage, qui s'exerce sur le champ de bataille, et la fidélité au suzerain. Son défaut est l'orgueil : ainsi Roland refuse de sonner du cor quand il est encore temps. L'orgueil peut susciter des fautes plus graves : dans le cycle de Doon de Mayence, les héros, pour se venger d'une humiliation, passent à l'ennemi et provoquent des guerres contre leurs suzerains. Vaincus, souvent ils se repentent.

☐ Il a un très grand sens de l'honneur : honneur féodal et honneur familial (il est solidaire de son lignage), honneur national (il défend sa patrie en terre étrangère). Cette qualité se double d'une grande piété qui lui donne son exceptionnelle bravoure.

▬▬ La diffusion orale

☐ L'origine de l'écriture des chansons de geste est inconnue mais on sait qu'elles étaient diffusées par des jongleurs sur les routes des pèlerinages et à la cour des grands seigneurs. L'un d'eux disait le récit tandis qu'un ou plusieurs autres le mimaient.

☐ La chanson de geste a donc nombre de caractères d'un récit oral : les répétitions, les moyens mnémotechniques facilitent l'effort de mémoire des jongleurs. Sans doute certains devaient-ils aussi inventer, ce qui explique l'évolution fantaisiste du texte.

▬▬ Des œuvres de propagande

Les déformations des faits historiques ne semblent pas seulement dues aux hasards de la transmission orale. Les épopées sont écrites au moment des Croisades et font œuvre de propagande : elles galvanisent les soldats en célébrant les batailles contre les Infidèles ; elles vantent la fidélité du vassal au suzerain et magnifient la personne royale, en une période où l'autorité du roi est souvent contestée.

LA CHANSON DE ROLAND

■ Origine de *La Chanson de Roland*

La Chanson de Roland remonte au début du XIIe siècle ; c'est la plus ancienne des chansons de geste connues. Nous n'en avons cependant connaissance que depuis 1837, date à laquelle a été publié le texte, retrouvé à la bibliothèque d'Oxford. Cette version, écrite en dialecte anglo-normand, compte 4 002 décasyllabes.

Il existe deux théories sur l'origine de *La Chanson de Roland* : la première considère qu'elle est le fruit de la tradition orale des cantilènes, courts poèmes épiques repris et écrits par des jongleurs ; la seconde suggère qu'elle aurait été écrite pendant les étapes du pèlerinage de Saint-Jacques-de-Compostelle par des moines et des clercs.

La transformation épique

L'événement historique qui sous-tend La *Chanson de Roland* est mineur : le jeune roi Charles (futur Charlemagne), qui assiège Saragosse occupée par les Sarrasins, est rappelé en hâte par une attaque des Saxons. Il repasse donc les Pyrénées en août 778, mais son arrière-garde est massacrée par des montagnards basques. Parmi les victimes se trouve Roland.

La Chanson de Roland, écrite trois siècles après cet événement, offre un certain nombre de transformations épiques : Roland est le neveu de Charlemagne, l'empereur de deux cents ans « à la barbe fleurie » ; il a pour compagnon Olivier ; l'expédition devient une croisade de sept ans et l'attaque des montagnards, un assaut de 400 000 cavaliers sarrasins.

■ Les quatre figures principales de *La Chanson de Roland*

La Chanson de Roland est devenue un mythe par le relief de ses personnages.

Charlemagne représente l'autorité ferme, l'humanité et la sensibilité (il pleure Roland mort) ; il a un grand sens de la justice (il venge Roland trahi par Ganelon).

Roland est brave et orgueilleux. Animé d'une grande foi en Dieu, il refuse de se rendre et préfère se lancer dans le combat avec tous ses compagnons. Sa mort solennelle tient une grande place dans le récit.

Olivier incarne la raison et la conscience du danger : même s'il critique vigoureusement le choix du combat par Roland, il sait pardonner à son compagnon au moment de sa mort.

Ganelon trahit Roland dont il est jaloux à l'extrême. Il est égaré par son désir de vengeance et ne mesure pas la conséquence de son acte.

L'olifant dont sonne Roland avant de mourir pour prévenir Charlemagne de l'attaque ennemie.

Les trois cycles principaux des chansons de geste

Les chansons de geste se regroupent en trois ensembles appelés « cycles » :
— Le cycle du roi, centré sur Charlemagne, compte environ dix chansons dont *La Chanson de Roland*.
— Le cycle de Garin de Monglane, centré sur Guillaume d'Orange, cousin de Charlemagne, contient aussi une dizaine de chansons.
— Le cycle de Doon de Mayence regroupe une soixantaine de chansons.

| MOYEN ÂGE |
| XVIᵉ SIÈCLE |
| XVIIᵉ SIÈCLE |
| XVIIIᵉ SIÈCLE |
| XIXᵉ SIÈCLE |
| XXᵉ SIÈCLE |

Le roman courtois

> Le terme de roman, qui désigne à l'origine une œuvre traduite du latin en langue romane, s'est progressivement appliqué à toute œuvre narrative. Sans abandonner l'idéal chevaleresque de l'exploit guerrier, le roman courtois, au XIIᵉ siècle, est centré sur la quête amoureuse dans le cadre de la cour.

▬▬ Le roman antique

Au XIIᵉ siècle, sans craindre les anachronismes, des clercs adaptent des légendes antiques, transformant les héros d'autrefois en chevaliers galants. Ainsi sont écrites de longues épopées en vers : *Le Roman d'Alexandre* (fin XIIᵉ s.), composé en dodécasyllabes, appelés depuis alexandrins, *Le Roman de Thèbes* (vers 1150) et le *Roman de Troie* (vers 1165). Ces œuvres, qui accordent une grande place au merveilleux, à l'amour et à l'analyse des sentiments, sont à l'origine de la littérature courtoise.

▬▬ La matière de Bretagne

□ La matière de Bretagne est le nom donné aux légendes celtiques d'où les trouvères bretons tirent leur inspiration. La figure centrale est le légendaire Roi Arthur, entouré de son conseil, les chevaliers de la Table ronde.

□ Dans la légende de *Tristan et Iseut,* qui se déroule en Bretagne, l'amour apparaît comme une fatalité : un philtre, bu par erreur, unit les deux amants d'un amour éternel mais impossible, qui les contraint à une vie d'errance et aboutit à leur mort. Le succès de la légende se mesure au nombre des écrivains qui multiplièrent variantes et épisodes.

▬▬ Code de l'amour courtois

□ La conception de la *fin'amor* (amour courtois) apparaît dans des romans plus tardifs. À la différence des chansons de geste, les exploits des chevaliers ne sont plus dictés par l'obéissance à Dieu ou au suzerain mais par la soumission à la « dame ».

□ Les amants se choisissent en fonction de leurs qualités physiques et morales. Les chevaliers doivent néanmoins observer un certain nombre de règles : recherche de la perfection, du courage et de l'élégance, soumission aux épreuves imposées par la dame. Chrétien de Troyes a essayé dans son œuvre de combiner ce mode avec les vertus chrétiennes.

▬▬ *Le Roman de la Rose*

□ *Le Roman de la Rose* est un code de l'amour courtois sous forme allégorique ; il superpose l'histoire d'une rose, le songe de l'auteur et l'histoire de tout amant qui se reconnaît dans le personnage principal. Avec Guillaume de Lorris qui commence l'œuvre en 1235, c'est le couronnement de la littérature courtoise.

□ Jean de Meung, qui termine l'œuvre vers 1270, dénonce les mœurs de l'aristocratie et remet en cause l'idéal chevaleresque. *Le Roman de la Rose* connut un immense succès et fut réécrit en français moderne par Clément Marot.

CHRÉTIEN DE TROYES : le premier romancier

Chrétien de Troyes
Né vers 1130 à Troyes (?)
Mort vers 1190

Activités : clerc, il a écrit dès son jeune âge des adaptations des *Métamorphoses* et de *L'Art d'aimer* d'Ovide.
Lieux de vie : à la cour de Marie de Champagne, puis à celle de Philippe de Flandres.
Signe particulier : premier homme de lettres clairement identifié.

■ Le cycle arthurien : morale chrétienne et idéal courtois

Chrétien de Troyes s'appuie sur la légende du roi Arthur et des chevaliers de la Table ronde pour écrire quatre romans qui concilient amour courtois et idéal chrétien : les épreuves grandissent le héros et le rendent digne d'être aimé.
— Dans *Érec et Énide* (vers 1165), la quête de l'amour parfait a lieu au sein de l'amour conjugal. Le roman montre l'équilibre nécessaire entre la vie amoureuse dans le mariage et la vie chevaleresque.
— Dans *Cligès ou la fausse morte* (vers 1176), Fénice, amoureuse de Cligès, mais mariée à l'empereur Alis, refuse de se partager entre deux hommes et se fait passer pour morte aux yeux de son mari.
— Dans *Lancelot ou Le chevalier à la charrette* (vers 1177), Lancelot délivre la reine Guenièvre retenue prisonnière ; il est prêt à tout sacrifier pour elle, même son honneur. La passion amoureuse, même hors mariage, est vécue comme une ferveur mystique.
— *Yvain, le chevalier au lion* (vers 1177), marié à Laudine qu'il aime, se laisse captiver par ses aventures chevaleresques au point de négliger son amour. Il lui faut reconquérir sa femme par de nouvelles prouesses.

■ *Perceval* ou le *Conte du Graal* (après 1181)

Dans ce dernier roman, Chrétien de Troyes s'engage dans une voie mystique. Le jeune Perceval suit un parcours initiatique : exploration du monde, révélation de l'amour par Blanchefleur et quête mystique du Graal. L'identité du Graal est obscure : objet celtique ? objet liturgique ? Le roman, inachevé, ne le révèle pas.

Perceval priant devant le Graal.

La postérité du Graal

L'énigmatique Graal a nourri un mythe littéraire. Plusieurs auteurs, de 1190 à 1230, ont achevé l'œuvre en « christianisant » le Graal, devenu la coupe dans laquelle Joseph d'Arimathie avait recueilli le sang du Christ. En outre, entre 1215 et 1230, un cycle complet de cinq romans, *le Lancelot-Graal*, reprend l'ensemble de la légende.
Ce mythe nourrit l'imagination encore aujourd'hui : l'opéra *Parsifal* de Wagner, *The Waste Land* de T.S. Eliot et *Le Roi pêcheur* de Julien Gracq, sans oublier le film *Perceval le Gallois* d'Éric Rohmer.

MOYEN ÂGE

XVIᵉ SIÈCLE

XVIIᵉ SIÈCLE

XVIIIᵉ SIÈCLE

XIXᵉ SIÈCLE

XXᵉ SIÈCLE

La littérature satirique et comique

Chansons de geste et romans courtois exprimaient l'idéal aristocratique. À partir du XIIᵉ siècle se développe une littérature différente, satirique et malicieuse.

▬▬ Parodie de la littérature courtoise

☐ Les différents clercs, qui ont composé en vers la suite des récits (ou « branches ») du *Roman de Renart* (1170-1250), s'attachent à parodier la hiérarchie de la Cour par la transposition animale : Renart est le vassal du roi Noble, le lion, qui rend la justice entouré d'un conseil d'animaux, les barons.

☐ Tableau réaliste et vivant de la société médiévale, cette œuvre en est néanmoins un reflet malicieusement déformé : la grandeur chevaleresque devient fourberie et égoïsme. Renart prend la fuite et préfère la ruse à la force. Il utilise la religion quand il en a besoin, puis l'abandonne et renie ses serments ; il bafoue aussi le code de l'amour courtois en abusant des femmes d'Isengrin et de Noble.

▬▬ Les fabliaux

☐ Courts récits en octosyllabes récités par des jongleurs, les fabliaux ont pour fonction première de faire rire. Ils sont étrangers à toute forme de principe moral ou religieux. Les personnages sont des vilains (bourgeois et paysans) qui s'expriment dans un langage grossier, voire obscène. Les mêmes sujets se retrouvent souvent : le paysan triomphe du chevalier, le naïf se fait posséder par tous...

☐ Comme dans le roman courtois, la femme occupe généralement la place centrale : elle surpasse son mari par sa beauté, sa naissance bourgeoise et son intelligence, et ne pense qu'à le ridiculiser ou à le tromper. L'amour n'apparaît que dans sa réalité charnelle.

▬▬ Naissance du théâtre comique

☐ À Arras, centre économique et intellectuel florissant où vivent les meilleurs trouvères, des fêtes ont lieu régulièrement, avec des représentations. Le premier auteur à dégager nettement le spectacle comique du jeu liturgique est Adam de La Halle ; il écrit *Le Jeu de la Feuillée* où il passe en revue ses concitoyens d'Arras pour les critiquer et *Le Jeu de Robin et Marion,* sorte de pastourelle qui finit dans les jeux, les chants et les danses.

☐ À partir des fabliaux, que les jongleurs mettent en scène sommairement, et des mystères, qui laissent une place grandissante aux épisodes comiques, naît la farce. C'est une pièce comique marquée par le réalisme, la verve et la fantaisie, où les personnages sont caricaturés. Les plus célèbres, *La Farce de Maître Pathelin* et *La Farce de Cuvier,* reposent tout entières sur le thème du trompeur trompé.

LE ROMAN DE RENART

■ L'élaboration

Auteurs : une vingtaine, parmi lesquels plusieurs clercs. Seuls quelques-uns sont connus, comme Pierre de Saint-Cloud et le prêtre de la Croix-en-Brie.

Sources d'inspiration :
— un roman en latin du début du XIIᵉ siècle, *Ysengrimus,* du Flamand Nivard ;
— des contes folkloriques occidentaux ;
— des fables du poète grec Ésope déjà adaptées en vers français par Marie de France dans ses *Isopets.*

Composition : 26 « branches » (poèmes indépendants les uns des autres) représentant chacune une série d'aventures qui ont en commun leur sujet : la lutte du goupil Renart contre le loup Isengrin. L'ensemble compte environ 100 000 vers.

Étapes de publication :
— au début du XIIIᵉ siècle, un premier recueil réunit les branches les plus anciennes : ce sont des histoires sans grande intention satirique ;
— un deuxième recueil regroupe les branches de la première moitié du XIIIᵉ siècle : on y discerne une intention morale ;
— les suites données au *Roman de Renart* à la fin du XIIIᵉ siècle et au début du XIVᵉ siècle sont avant tout satiriques.

Accueil : le succès est exceptionnel, au point que Renart devient le nom commun pour désigner le goupil.

■ Les personnages

— Le bas peuple victime : le coq Chantecler par exemple.
— Le milieu ecclésiastique : Tibert le chat qui rivalise de ruse avec Renart.
— L'entourage du roi qui représente la force mais est victime de la ruse : l'ours Brun, messager du roi et Isengrin, son connétable.

■ Les procédés comiques

Le comique tient à plusieurs éléments :
— le souci du détail pittoresque ;
— l'emploi d'un vocabulaire réaliste dans des scènes à la campagne.
— le mélange de l'élément animal et de l'élément humain : Brun, l'ours, est si friand de miel qu'il en oublie sa fonction de messager royal ;
— le décalage entre le langage employé et la situation : Pinte et Chantecler se lamentent sur un ton pathétique à propos du meurtre de leur sœur... une poule à qui on a tordu le cou.

La sotie

Né dans la seconde moitié du XVᵉ siècle, le genre de la sotie tire son nom des Sots, groupes joyeux d'étudiants contestataires qui se prétendent atteints de folie. Par une exubérance verbale délirante, ils dénoncent les injustices qui les révoltent en poussant le langage jusqu'à l'absurde.

MOYEN ÂGE

XVIᵉ SIÈCLE

XVIIᵉ SIÈCLE

XVIIIᵉ SIÈCLE

XIXᵉ SIÈCLE

XXᵉ SIÈCLE

La poésie lyrique

> Au Moyen Âge, l'adjectif lyrique s'applique à des poèmes d'amour, chantés ou dits, accompagnés d'un instrument de musique. À partir du XIVᵉ siècle, apparaît l'idée d'une musique interne au texte. Le poème lyrique, moins conventionnel, laisse alors entrevoir les sentiments de l'auteur.

Le lyrisme courtois

☐ À l'origine, la poésie lyrique est faite de « chansons de toiles » (que l'on chante en tissant) ; elle a pour sujet la plainte d'une dame privée d'amour.

☐ Les troubadours du Languedoc créent au XIᵉ siècle une poésie lyrique courtoise qui chante la victoire morale pour le service de la dame. Elle est souvent une œuvre de commande et devient le genre noble par excellence dans le cadre de la cour.

☐ Au XIIᵉ siècle, le lyrisme gagne le nord de la France et développe notamment la pastourelle, à la fois populaire et aristocratique : dans une chanson d'amour, où alternent couplets et refrains, un chevalier courtise une bergère qui tantôt se laisse séduire, tantôt reste fidèle à son berger.

Une inspiration tirée de la vie

☐ L'œuvre du poète Rutebeuf (1230 ?-1285 ?) rompt avec l'esprit courtois ; elle s'attache à la description réaliste des soucis de la vie quotidienne. Elle chante les difficultés de la présence quotidienne de l'épouse. La vie du poète est abondamment décrite : sans argent, il souffre du froid et voit ses amis l'abandonner. On ne peut pourtant y voir un témoignage personnel car le premier but du poète est d'attirer la pitié d'un protecteur.

☐ Cette poésie, qui n'était pourtant pas destinée à être chantée, est marquée par un très grand sens du rythme.

Les formes de la poésie lyrique

Guillaume de Machaut (1300 ?-1377), à la fois poète et musicien, élabore des formes rigoureuses de poésies destinées à être récitées et non plus chantées. Ce sont la ballade (poème à trois ou cinq strophes sur les mêmes rimes, suivies d'un envoi), le rondeau (forme plus brève souvent sur deux rimes ; le refrain n'est repris qu'une fois) et le virelai (la strophe-refrain du début est reprise à la fin seulement). Le poème, aux règles musicales internes, n'a plus besoin de l'accompagnement d'un instrument.

Vers un lyrisme personnel

Au XVᵉ siècle, les épreuves personnelles transparaissent dans la poésie. Charles d'Orléans (1394-1465) perdit ses deux femmes et connut la prison anglaise pendant 25 ans : il devient pathétique lorsqu'il parle de ses amours et de son pays natal. De même, François Villon (1431-après 1463) qui fut plusieurs fois emprisonné et échappa de peu à la potence, évoque la mort avec des accents très personnels.

VILLON :
le poète sous les barreaux

François de Montcorbier ou **des Loges** prend le nom de son père adoptif, Guillaume de Villon. Né en 1431 Mort après 1463

Études : bachelier, licencié puis maître-ès-arts de Paris.

Démêlés avec la justice : en 1455, il blesse mortellement un prêtre dans une rixe, part en province pour échapper à la justice et obtient la grâce du roi ; en 1456, il participe au vol de 500 écus au collège de Navarre ; en 1461, il est emprisonné pour un conflit avec l'évêque d'Orléans ; en 1462, il est emprisonné pour vol ; en 1463, il participe à une rixe et est condamné à mort ; un arrêt du Parlement commue sa peine en bannissement de Paris pour dix ans. On perd sa trace.

■ *Les Lais* ou *Le Petit Testament*

(40 huitains d'octosyllabes) Villon fait son testament et distribue ses biens (lais = legs) à son entourage : les « rognures » de ses cheveux au coiffeur, ses « souliers vieux » au cordonnier, etc. Le ton est généralement burlesque et les touches satiriques et parodiques ne sont pas rares.

■ *Le Grand Testament* (1461)

(173 huitains d'octosyllabes, souvent séparés par des ballades et d'autres pièces lyriques) Villon écrit ce texte à sa sortie de prison. Il commence par malmener son accusateur, l'évêque Thibaut d'Aucigny qui l'a fait incarcérer, puis il loue Louis XI, son bienfaiteur. Le procédé est le même que dans sa première œuvre, mais le ton a changé : Villon fait un retour en arrière sur sa jeunesse perdue qu'il

pleure. Le spectre de la mort lui inspire une angoisse persistante.

■ Derniers vers (1463)

Ils contiennent en particulier la *Ballade des pendus,* que Villon écrivit lorsque, condamné à être pendu, il n'avait pas encore obtenu l'annulation du décret. C'est une méditation offerte au public (par l'apostrophe « Frères humains »...) sur la misère des pendus.

■ Le lyrisme personnel de Villon

L'expression est d'autant plus émouvante qu'elle est simple et réaliste : aucun attendrissement (l'humour est même parfois macabre), mais un appel à la piété et à la fraternité humaine.

Illustration du XVe siècle pour *La Ballade des pendus.*

Les principaux poèmes lyriques

— Rutebeuf : *La Complainte Rutebeuf* (1261-1262 ?).
— Guillaume de Machaut : *Pièces lyriques* (écrites sur l'ensemble de sa vie).
— Christine de Pisan : *Cent Ballades d'amant et de dame* (1394-1410).
— Charles d'Orléans : *Œuvres poétiques* (écrites sur l'ensemble de sa vie).
— François Villon : *Le Grand Testament* (1461).

MOYEN ÂGE

XVIᵉ SIÈCLE

XVIIᵉ SIÈCLE

XVIIIᵉ SIÈCLE

XIXᵉ SIÈCLE

XXᵉ SIÈCLE

La littérature historique

La chronique historique est restée longtemps réservée aux érudits qui écrivaient en latin. Sous l'influence des chansons de geste, elle prit la forme d'épopées en vers. Avec les Croisades, le souci de rapporter des témoignages exacts dans une langue accessible conduit les historiens à un style nouveau en prose.

Des témoins

☐ Deux historiographes, Villehardoin (1150 ?-1212) et Robert de Clari (1170 ?-1216 ?), qui avaient participé à la IVᵉ Croisade, racontent les faits et expliquent comment les croisés ont changé d'objectif (non plus la délivrance de Jérusalem, mais le sac de Constantinople) sans pour autant trahir leur idéal.

☐ Leur présentation manque peut-être d'objectivité, dans la mesure où elle vise d'abord la justification, mais apparaît comme une œuvre d'historien : récit véridique et recherche d'explication des faits dans une prose claire et précise.

Première biographie historique

☐ La première biographie historique est *La Vie de saint Louis* (1309), racontée par Joinville (1224 ?-1317) : comme dans les hagiographies, les détails admirables s'accumulent, car l'auteur poursuit un double but : la canonisation du roi et l'édification de son arrière-petit-fils, Louis le Hutin, le futur Louis X.

☐ Joinville rapporte des faits et des anecdotes dont il a été le témoin, puisqu'il accompagna le roi lors de la VIIᵉ Croisade ; son style est vivant et sincère. Dans ses descriptions géographiques, il a le sens du pittoresque (il décrit par exemple les mœurs des Sarrasins et des Bédouins).

L'esprit chevaleresque

L'esprit chevaleresque fait sentir son influence jusqu'au XIVᵉ siècle. Froissart en est le dernier représentant en littérature, d'autant plus brillant qu'il cherche à redonner de l'éclat à des valeurs en déclin. Ses récits de la guerre de Cent Ans, dans ses *Chroniques,* ont souvent la forme de grands tableaux de batailles où luttent des chevaliers idéalisés. Cette exagération n'empêche pas une grande richesse d'information (témoignages directs, y compris en Angleterre) et de rares qualités d'écriture (vie, précision, finesse).

Première réflexion critique sur l'histoire

Les *Mémoires* de Philippe de Commynes furent écrits pour servir de documentation à l'archevêque de Vienne qui devait rédiger une histoire de Louis XI. Pas d'effets de style donc, mais une grande recherche de précision dans les détails : l'auteur, au service du comte de Charolais (futur Charles le Téméraire), puis conseiller intime de Louis XI, fait des portraits très nuancés des deux princes. Loin de l'esprit chevaleresque, il démystifie la guerre et accompagne ses descriptions d'une réflexion sur les jeux du pouvoir et le rôle des princes.

FROISSART et COMMYNES :
deux historiens au service des princes

Jean Froissart
Né en 1337 à Valenciennes
Mort entre 1404 et 1414

Vie officielle : secrétaire de la reine d'Angleterre, Philippa de Hainaut, épouse d'Édouard III ; puis fréquente la cour de Wenceslas de Brabant jusqu'à la mort de celui-ci en 1383 ; il passe alors sous la protection de Guy de Chatillon, hostile aux Anglais.
Vie religieuse : clerc, il reçoit la prêtrise, et devient chapelain en 1386.
Voyages : en Écosse, France, Angleterre, Italie (où il rencontre Pétrarque), Pays-Bas.

Philippe de Commynes
Né en 1447 en Flandre
Mort en 1511

Éducation : de chevalier et non de clerc ; il ne connaît pas le latin.
Vie politique : écuyer, puis conseiller et chambellan de Charles le Téméraire, duc de Bourgogne (de 1464 à 1472) ; rôle diplomatique entre le duc de Bourgogne et Louis XI (1468) ; rejoint Louis XI dont il devient le confident, le conseiller et le ministre (1472) ; à l'avènement de Louis XII, il est définitivement écarté des affaires publiques.

■ Les *Chroniques*

Les *Chroniques* sont consacrées aux origines et à la première moitié de la guerre de Cent Ans. Froissart est animé d'une vive curiosité, ce qui vaut à son œuvre d'être un reflet précis du monde aristocratique. Il excelle dans la description de batailles hautes en couleur, écrites dans une langue vivante, savamment travaillée.

Toutefois ses notations sont souvent contradictoires, à l'image de son retournement politique : d'abord favorable à la cause de l'Angleterre sous l'influence de Philippa de Hainaut, il en devient un farouche accusateur avec son nouveau protecteur Guy de Chatillon.

■ Les *Mémoires*

Philippe de Commynes observe de très près les affrontements entre Louis XI, roi de France, et Charles le Téméraire, duc de Bourgogne. Témoin oculaire, il décrit les batailles avec une précision incomparable. Persuadé de ne pas « bien » écrire, à la différence de Froissart, il choisit de raconter les événements sans souci stylistique ni exagération.

Les *Mémoires* comprennent deux parties : la première consacrée au règne de Louis XI, la seconde aux ambassades en Italie de Charles VIII. Cette œuvre est marquée par la lucidité ; Commynes reconnaît les qualités et les torts de Louis XI autant que de Charles le Téméraire. À cette indépendance d'esprit s'ajoute la pertinence du jugement, avec de nombreuses digressions personnelles, étonnantes de finesse politique.

MOYEN ÂGE

XVIᵉ SIÈCLE

XVIIᵉ SIÈCLE

XVIIIᵉ SIÈCLE

XIXᵉ SIÈCLE

XXᵉ SIÈCLE

Le XVIᵉ siècle

▨▨▨▨ Un souci d'organisation administrative et sociale

☐ En France, l'administration se centralise grâce à l'unification des codes de lois locaux et à leur rédaction en français, engagée par l'édit de Villers-Cotterêts en 1539 ; la langue française s'impose et renforce le sentiment d'unité nationale.

☐ La population, qui reste rurale à 80 %, vit nettement mieux qu'au Moyen Âge. Les échanges commerciaux s'accentuent et s'organisent autour des hommes d'affaires, des banquiers et des riches artisans qui détiennent le pouvoir économique.

☐ Des collèges s'ajoutent aux facultés des grandes villes et modifient le niveau d'instruction. La diffusion du livre connaît un développement spectaculaire.

▨▨▨▨ L'ouverture à de nouveaux modes de pensée

☐ Avec l'esprit de la Renaissance, l'univers intellectuel s'ouvre à de nouveaux modes de pensée grâce aux voyages de Christophe Colomb, Vasco de Gama et Magellan ; Ambroise Paré approfondit la connaissance du corps humain ; Copernic établit le système qui place le Soleil au centre du mouvement de toutes les planètes.

☐ Toute la tradition de l'Antiquité et la culture orientale pénètrent en Europe occidentale par le biais d'érudits, réfugiés en Italie après la chute de Constantinople (1453). L'humanisme traduit pour une grande part le souci d'observer ce qui vient de l'extérieur et en tire une foi nouvelle dans l'homme.

▨▨▨▨ L'influence artistique de l'Italie

☐ La noblesse française, obligée de suivre les expéditions des rois français à Naples et à Milan, a découvert le raffinement de la littérature et des arts italiens ; elle a tôt fait d'importer des chefs-d'œuvre et d'attirer nombre d'artistes en France.

☐ La cour brillante de François Iᵉʳ à Fontainebleau devient un véritable foyer artistique, lieu de prédilection des poètes et des peintres à la recherche de mécènes.

▨▨▨▨ Une littérature tournée vers l'homme

☐ Le désir de connaître l'homme dans sa complexité suscite un goût pour l'étude psychologique et morale qui donne naissance aux œuvres de Rabelais et Montaigne. La cruauté des guerres de religion engendre une littérature d'idées militante.

☐ L'inspiration personnelle est valorisée dans tous les domaines et particulièrement en poésie avec la Pléiade. Cette tendance nouvelle en faveur de la connaissance humaine inaugure l'ère moderne en littérature.

XVIe siècle — LES FAITS MARQUANTS

Règnes	Vie politique	Littérature française	Les arts en France
Louis XII 1498-1515	1494 — Début des campagnes d'Italie	1518-1542 — Marot, poète officiel	1495 — Château d'Amboise
François 1er 1515-1547	1515 — Marignan 1525 — Défaite de Pavie 1529 — Fondation du Collège de France 1539 — Ordonnance de Villers-Cotterêts 1543 — Système de Copernic	1516 — *Le Roland furieux, L'Arioste* 1532 — Rabelais : *Pantagruel* 1534 — Rabelais : *Gargantua* 1541 — Calvin : *Institution chrétienne* 1546 — Rabelais : *Tiers Livre* 1546 — M. de Navarre : *l'Heptaméron* 1549 — Du Bellay : *Défense et Illustration de la langue française*	1516-1519 — Léonard de Vinci à la cour de France 1513-1521 — Château de Chenonceaux 1515-1523 — Château de Blois (aile François 1er) 1519 — Début du château de Chambord 1528 — Château d'Azay-le-Rideau 1541 — Le Louvre de Lescot
Henri II 1547-1559	1559 — Fin des guerres d'Italie	1552 — Ronsard : *Amours* 1558 — Du Bellay : *Regrets*	1550 — Sculptures de Goujon
François II 1559-1560			
Charles IX 1560-1574	1560 — Conjuration d'Amboise 1562 — Début des guerres de religion 1572 — Massacre de la Saint-Barthélémy	1564 — Rabelais : *Cinquième Livre*	1560 — Musique de Josquin des Prés 1560-1580 — Les émaux de Palissy 1564-1567 — Les Tuileries de Delorme
Henri III 1574-1589	1576 — Alliance entre l'Espagne, la Ligue et le duc de Guise	1577 — d'Aubigné : *les Tragiques* 1580 — Montaigne : *les Essais I, II* 1588 — Montaigne : *les Essais, I, II, III*	
Henri IV 1589-1610	1593 — Entrée d'Henri IV à Paris 1598 — Édit de Nantes	1594 — *Satire Ménippée* 1597 — Sponde : *Sonnets sur la mort*	

MOYEN ÂGE

XVIe SIÈCLE

XVIIe SIÈCLE

XVIIIe SIÈCLE

XIXe SIÈCLE

XXe SIÈCLE

L'esprit de l'humanisme

Les travaux d'érudits italiens pénètrent en France et, avec eux, l'esprit de la Renaissance : confiance dans le progrès et réhabilitation de l'art de vivre de l'Antiquité. Les humanistes puisent, dans le progrès aussi bien que dans l'Antiquité, des connaissances et une morale universelles.

Un idéal à la mesure de l'homme

☐ Les *litterae humaniores* sont littéralement « l'étude des lettres qui rend plus digne du nom d'homme ». Par ailleurs, en Italie, le mot *umanista* désigne le professeur de grammaire et de rhétorique. Cette origine montre le lien entre l'acquisition du savoir et la pensée morale qui la régit.

☐ Il s'agit de tendre, grâce à la raison et à la connaissance, vers un idéal de perfection dans tous les domaines. En méditant sur la sagesse des textes antiques, l'homme exerce sa libre critique, donne sa place à la beauté et acquiert une élégance morale, signe d'une culture accomplie.

Le développement des librairies

☐ Les librairies sont des lieux où l'on imprime, édite et vend des livres. Vers 1500, quarante villes françaises possèdent une librairie. Le livre, au format réduit, se répand dans les écoles, favorisant le goût pour l'érudition et la diffusion des idées humanistes.

☐ On reconnaît la propriété de l'auteur sur son œuvre. Naît alors l'idée que toute œuvre doit être protégée : Guillaume Budé institue le dépôt obligatoire de tout imprimé à la bibliothèque de Fontainebleau (future Bibliothèque nationale).

Érudition et réflexion

☐ Nombre de dictionnaires bilingues, d'ouvrages littéraires, juridiques et scientifiques, sont publiés. À cette érudition nouvelle s'ajoute une réflexion pédagogique, soucieuse de maintenir un équilibre entre les disciplines intellectuelles, physiques et morales.

☐ Les humanistes transmettent un esprit cosmopolite ; ils tirent des leçons des différents types de gouvernement qu'ils observent et tentent de décrire une société idéale fondée sur le pacifisme et l'équilibre.

Figures d'humanistes

☐ Les humanistes sont ceux qui participent à ce nouvel esprit. D'abord linguistes : Guillaume Fichet, Lefèvre d'Étaples, Guillaume Budé, Henri Estienne, ils sont ensuite suivis par une génération d'érudits et de philosophes : Érasme, Rabelais, Montaigne.

☐ La plupart des humanistes choisissent de revenir à une interprétation personnelle et immédiate de l'Évangile sans considérer les dogmes : c'est le courant de l'évangélisme. Toutefois, ils continuent à rester liés à la papauté ; les protestants le leur reprocheront plus tard.

RABELAIS :
le rire franc de l'humaniste

François Rabelais
Né vers 1494
à La Devinière
(près de Chinon)
Mort en 1553 à Paris

Vie religieuse : moine franciscain, puis bénédictin, puis prêtre séculier.
Métiers : médecin, traducteur, écrivain.
Passions : grec, philologie.
Voyages : Rome (médecin de l'évêque Jean du Bellay), Montpellier et Lyon (pour exercer la médecine).
Signe particulier : œuvre censurée à plusieurs reprises par la Sorbonne.

■ Un cycle en cinq Livres

Pantagruel : 1532, puis remanié pour faire suite à *Gargantua.*
Gargantua : 1534.
Le Tiers Livre : 1546.
Le Quart Livre : 1552.
Le Cinquième Livre : 1564, posthume.

■ Deux géants devenus humanistes

Gargantua et son fils Pantagruel sont deux géants. Rabelais raconte plusieurs épisodes de leur vie où l'on voit se dessiner de façon pittoresque leurs traits de caractère.

Gargantua, avec ses proportions colossales, représente les rêves titanesques de l'humanisme. Cet être grossier devient un pédagogue raisonnable : il transmet à son fils une véritable boulimie de savoir, un esprit critique et le goût de l'expérience personnelle. Il lui montre que la bonne santé du corps est nécessaire à la santé de l'esprit et que le travail manuel est le complément indispensable de la formation intellectuelle.

Pantagruel se métamorphose davantage : il se consacre à la philosophie et acquiert sérieux, raison et discrétion. Respectueux de la nature, soucieux de rechercher en tout le juste milieu, il représente l'homme complet.

■ Le triomphe du rire et du langage

La parodie tient aux bouffonneries démesurées que suscite le gigantisme, qui donne au corps les dimensions du cosmos. L'invention verbale est exubérante : énumérations interminables, recours aux langues étrangères, néologismes... Pour Rabelais, le rire a une fonction précise : condamner tout ce qui empêche l'homme de s'épanouir.

Pantagruel, illustration de 1537.

L'institution du mécénat

Surnommé le Père des Lettres, François Ier, grâce à l'influence de sa sœur Marguerite de Navarre, donne une condition sociale nouvelle à l'homme de lettres : l'écrivain protégé est assuré d'un revenu, que ce soit sous forme de bénéfices religieux (Rabelais, Ronsard), d'une pension (Marot) ou d'une charge dans la maison royale (Budé). Ce mécénat garantit sa subsistance mais, en contrepartie, lui impose des devoirs, en particulier l'obligation de produire des œuvres de circonstance à la gloire de ses illustres protecteurs.

MOYEN ÂGE
XVIᵉ SIÈCLE
XVIIᵉ SIÈCLE
XVIIIᵉ SIÈCLE
XIXᵉ SIÈCLE
XXᵉ SIÈCLE

La Pléiade

Dans la mythologie, les Pléiades sont une constellation. Au IIIᵉ siècle, sept poètes d'Alexandrie choisissent ce terme pour se désigner. Ronsard et six de ses amis reprennent ce nom. Leur ambition : conquérir l'immortalité en imitant les genres antiques. Leur outil : la langue française consacrée comme langue littéraire et poétique.

La vie bouillonnante de Coqueret

En 1547, Ronsard et Du Bellay se joignent au petit groupe d'élèves qui suivent passionnément les cours de l'humaniste Jean Dorat au collège de Coqueret sur la montagne Sainte-Geneviève à Paris. Ils lisent et commentent les auteurs grecs, latins, italiens et français. Cet enseignement se double d'une vie en communauté qui soude les jeunes disciples et les incite à affirmer leur identité. Ils se donnent le nom de Brigade, « la troupe ». L'origine variée de ses élèves et l'intensité de leurs échanges intellectuels expliquent la richesse de la future Pléiade.

Défense de la langue française

☐ En 1549, un manifeste écrit par Du Bellay, *Défense et Illustration de la langue française,* résume la doctrine du groupe : le poète doit servir la beauté en donnant à la langue française le souffle d'une grande littérature à l'imitation des Anciens. L'ouvrage est une réplique à *L'Art poétique* de Thomas Sébillet qui entendait laisser à la poésie son rôle ornemental.

☐ S'appuyant sur les travaux philologiques des humanistes, les poètes de la Brigade proposent d'enrichir la langue à partir de l'étude de ses mécanismes et de l'étymologie (emprunts au grec, au latin et aux dialectes, dérivation, ajouts de suffixes et de préfixes).

La Pléiade

La lutte de la Brigade pour imposer ses vues dure plusieurs années. Outre Ronsard et Du Bellay, elle regroupe Pontus de Tyard, Peletier du Mans, Baïf, Belleau et Jodelle, qui s'uniront pour former la Pléiade et élaboreront des principes que tous les autres poètes finiront par reconnaître.

Créer en imitant

Le principe premier de la Pléiade est de concilier la tradition antique et le souci d'innover. Le poète doit pratiquer les genres anciens (épigrammes, élégies, odes, satires), mais il doit choisir ses sources d'inspiration dans sa propre sensibilité. Du Bellay parle d'une « innutrition » nécessaire des auteurs anciens qui, seule, peut faire jaillir l'inspiration personnelle. L'érudition et le travail sont donc des éléments poétiques essentiels, mais ne sont que les instruments de l'inspiration qui, elle, est d'origine divine.

RONSARD :
le chantre lyrique de l'amour

Pierre de Ronsard
Né en 1524 à La Possonnière en Vendômois
Mort en 1585 à Saint-Cosme (près de Tours)

Vie publique : page à la cour de François Ier, secrétaire du diplomate Lazare de Baïf.
Moyens d'existence : il est clerc (il perçoit les revenus d'une abbaye).
Amours : Cassandre Salviati, Marie Dupin, Hélène de Surgères.
Signe particulier : surdité partielle.

■ Les œuvres légères

Les Folastries (1553) — D'inspiration parodique et gaillarde, ces vers tantôt grivois et fantaisistes, tantôt fantastiques et païens, témoignent de la grande liberté intérieure du poète.

■ Cassandre, Marie, Hélène

À partir de trois figures de femmes idéalisées, Ronsard décline le thème de l'amour, sans référence immédiate à sa vie.
Les Amours de Cassandre (1552) — Dans des sonnets imités de Pétrarque et dédiés à la riche et belle Cassandre Salviati, Ronsard dévoile, derrière des artifices rhétoriques, la délicatesse d'une émotion sincère.
Les Amours de Marie (1555) — Libérés de toute convention esthétique et inspirés par une jeune paysanne de Bourgueil, ces poèmes touchent par leur naturel et leur simplicité.
Les Sonnets pour Hélène (1578) — Dédiés à Hélène de Surgères, ces poèmes de la maturité sont des variations autour de la vieillesse, de l'amour et de l'écriture et révèlent l'angoisse du poète devant la mort.

■ Les œuvres engagées

Les Odes (1550-1552) — Dans ces poèmes lyriques, Ronsard célèbre le roi Henri II et la reine Catherine de Médicis qu'il élève au rang de dieux. Il recourt au mythe mais le resitue dans un décor familier qui parle davantage à son cœur.
Les Hymnes (1555-1564) — Dans ces chants en l'honneur des héros et des dieux de l'Antiquité, le poète montre leur valeur universelle et exalte les passions collectives. Mais c'est surtout l'occasion pour lui de traiter de questions philosophiques, notamment de la condition de l'homme.
Les Discours (1562-1563) — Au début des guerres de religion, le poète prend parti pour le roi et la foi catholique. Il adresse de solides invectives aux huguenots qui, selon lui, offensent la paix civile.
La Franciade (1572) — Avec cette épopée, Ronsard a formé le projet d'écrire, sur le modèle de l'*Enéide*, la légende de la fondation de Paris et des origines de la monarchie française ; mais ses thèses hasardeuses conduiront l'œuvre à l'échec.

Deux records de longueur

Les Hymnes : 10 000 vers.
Les Discours : 8 500 vers.

École de Fontainebleau : *Allégorie* (détail).

| MOYEN ÂGE |
| **XVIe SIÈCLE** |
| XVIIe SIÈCLE |
| XVIIIe SIÈCLE |
| XIXe SIÈCLE |
| XXe SIÈCLE |

Les nouvelles formes poétiques

> Peu à peu, au cours du siècle, les poètes tendent à écarter l'éloquence au profit de la sincérité et de la justesse, par un renouvellement des formes poétiques, prôné avant tout par Marot.

▬▬ Les formes héritées

☐ Les grands rhétoriqueurs marquent le début du siècle sous l'égide de leur théoricien, Jean Molinet. Plus soucieux de forme que d'inspiration, ils développent les possibilités des genres fixes du Moyen Âge : ballades (trois strophes suivies d'un envoi), rondeaux (strophes sur deux rimes faites de répétitions) et chansons.

☐ Marot pratique cette poésie et retient de ses maîtres le goût pour l'accord parfait entre les contraintes formelles, le sens du poème et les jeux du langage.

▬▬ Les innovations marotiques

☐ Cependant, Marot innove en s'inspirant de trois genres lyriques hérités des poètes latins : l'églogue qui chante la vie des bergers, l'épigramme amoureuse qui traduit en quelques vers une émotion simple et l'élégie qui est une plainte amoureuse.

☐ Il va mettre au goût du jour le blason qui consiste à décrire aussi parfaitement que possible une chose ou une personne (généralement une partie du corps féminin) sous tous ses angles, dans une langue poétique imagée parfois très crue.

☐ Il donne un nouvel essor à l'épître, qui est une lettre fictive à l'imitation d'Horace : la distance propre à la forme épistolaire lui permet une grande liberté d'expression.

▬▬ Dualité de l'œuvre de Marot

Clément Marot (1496-1544) n'est pas seulement le stéréotype du poète courtisan. Nous lui devons aussi les premières poésies engagées qui dénoncent avec humour ou violence les institutions et les croyances du temps. Pour rester fidèle à la pensée évangéliste, il a renoncé à être le poète favori de la cour et a supporté les persécutions et l'exil.

▬▬ Évolution du sonnet

☐ Le sonnet, imité de Pétrarque, a été introduit en France au milieu du siècle grâce à Marot et Mellin de Saint-Gelais, poète de cour sous François Ier. Si la structure des rimes varie encore beaucoup dans le sonnet pétrarquiste, elle tend progressivement à se fixer dans la forme suivante : deux quatrains en alexandrins ou en décasyllabes sur deux mêmes rimes embrassées, suivis de deux tercets à rimes plates ou croisées.

☐ Le sonnet s'impose comme le genre bref le plus noble. Son ton se diversifie : d'abord lié à la thématique amoureuse (sur le modèle de Pétrarque), il devient tour à tour mignard, humoristique, satirique ou nostalgique. Du Bellay est le maître du genre : il utilise toutes les ressources du rythme et de l'harmonie et séduit par le mouvement et l'intensité qu'il donne à ses vers.

DU BELLAY :
l'écriture de l'amertume

Joachim Du Bellay
Né vers 1522 à Liré en Anjou
Mort en 1560 à Paris

Passions : culture latine, italien.
Carrière : poète de la Pléiade, traducteur, secrétaire d'ambassade à Rome, poète de cour.
Amitiés : Peletier du Mans, Ronsard.
Signes particuliers : orphelin, sourd.

■ Deux visages de Rome

En 1553, le cardinal Jean Du Bellay choisit son neveu Joachim comme secrétaire d'ambassade à Rome, au moment où la cour pontificale est le centre de la politique européenne. Le poète pense y rencontrer les humanistes les plus célèbres et plonger dans la culture antique. Mais sa déception est grande et va engendrer ses deux principaux recueils de sonnets.
— *Les Antiquités de Rome* évoquent la Rome antique ; il chante la gloire de cette cité aux dimensions universelles et décrit l'horreur des guerres civiles qui ont conduit à sa chute.
— *Les Regrets* relatent les déceptions de la vie quotidienne du poète et les mœurs dépravées de la cour pontificale. La plume du poète devient très satirique en même temps qu'il évoque en des accents sincères la nostalgie de son Anjou natal et son exil littéraire. Dans l'œuvre de Du Bellay, Rome est un lieu privilégié d'observation, d'apprentissage et de découverte de soi.

■ La mission du poète

Du Bellay traduit dans un langage poignant la vocation du poète à s'abstraire des contingences. Les images puissantes de Rome, en particulier celle de la gigantomachie (combat des dieux et des géants) dans *Les Antiquités de Rome,* rappellent au poète sa mission universelle. Cette mission est compromise pourtant par les hypocrisies et les soumissions de la cour que le poète dénonce à la fin de sa vie dans *Le Poète courtisan.*

■ La figure du poète

Dans *L'Olive,* Du Bellay chante un amour platonique et met en évidence son idéal. À Rome, il élabore un « lyrisme négatif » ; c'est une conception très moderne de la poésie qui consiste à dire et à déplorer la perte de l'inspiration. Dans *Divers Jeux rustiques,* il revêt diverses figures sans trouver de véritable identité, alors qu'il reste le sujet principal de ses poèmes.

Représentation du Forum romain
(XVIᵉ siècle).

Les œuvres de Du Bellay

1549 : *Défense et Illustration de la langue française ;*
L'Olive.
1552 : *Sonnets de l'honnête amour.*
1558 : *Antiquités de Rome ;*
Les Regrets ;
Divers Jeux rustiques.
1559 : *Le Poète courtisan*
1568 : Première édition complète des œuvres de Du Bellay.

MOYEN ÂGE

XVIe SIÈCLE

XVIIe SIÈCLE

XVIIIe SIÈCLE

XIXe SIÈCLE

XXe SIÈCLE

La littérature des guerres de Religion

La violence des guerres de Religion entre 1560 (la conjuration d'Amboise) et 1598 (l'édit de Nantes) fait naître une littérature militante et théologique.

Des conceptions théologiques inverses

☐ En radicalisant l'esprit de retour aux sources bibliques, l'Allemand Luther et le Français Calvin critiquent les abus de la religion catholique et créent la religion réformée. La littérature protestante naît de la nécessité de condamner trois principes fondateurs de la religion catholique au XVIe siècle : l'optimisme humaniste qui voit en l'homme une force intérieure capable de s'élever librement vers le bien, le culte des saints et l'autorité de l'Église.

☐ À cela, les penseurs protestants opposent leur pessimisme fondamental (l'homme marqué par le péché ne peut se sauver sans la grâce de Dieu), l'austérité religieuse et le libre-arbitre. Calvin développe ces pensées dans *L'Institution chrétienne* (1536) en une argumentation précise et rigoureuse ; le calvinisme, né de cet ouvrage, se répand rapidement. La diversité des tons, serein, colérique ou moqueur, explique la vulgarisation de ce livre « sérieux ».

Une littérature de lutte

☐ Du côté protestant éclôt toute une littérature engagée avec Théodore de Bèze, Henri Estienne et surtout Agrippa d'Aubigné. Orateurs, pamphlétaires, polémistes, tous partent en guerre contre les excès de la foi catholique.

☐ À ceux-ci s'opposent Ronsard (par ses *Discours*), Monluc, ardent et cruel défenseur de l'autorité royale, et Jean de Sponde, poète mystique de la condition humaine.

☐ Après la Saint-Barthélémy, des esprits modérés tentent cependant de ramener la paix par la conciliation en rappelant les intérêts de la France : ce sont les « Politiques » (Jean Bodin, François de La Noue, Guillaume du Vair).

La revanche du bon sens

☐ En 1594, paraît *La Satire Ménippée* dont les sept auteurs (des bourgeois de Paris) prétendent imiter la verve et l'éloquence du philosophe cynique Ménippe. L'ouvrage est une relation fausse et bouffonne des états généraux de la Sainte Ligue (union générale des catholiques), tenus à Paris en 1593 et qui n'avaient rien su décider ; tous les membres y sont ridiculisés par un langage hypocrite, naïf ou stupide.

☐ Derrière l'ironie, l'œuvre présente aussi la nécessité de la paix que propose Henri IV. Elle sert d'outil de propagande politique et consacre la fin d'un siècle agité.

D'AUBIGNÉ :
témoin visionnaire

Théodore Agrippa d'Aubigné
Né en 1552 en Saintonge
Mort en 1630 à Genève

Études : latin, grec, hébreu (formation humaniste).
Vie publique : soldat, chargé de missions diplomatiques.
Amour : Diane Salviati (nièce de Cassandre).
Amitié : Henri IV de Navarre (auprès de qui il combat longtemps).
Religion : protestant.
Signes particuliers : grièvement blessé en 1577 au combat de Casteljaloux ; exilé à Genève à partir de 1620.

■ L'écriture baroque

Le long poème en sept chants des *Tragiques* (écrit de 1577 à 1616) est une épopée morale et mystique où les luttes religieuses prennent valeur de mythes éternels. D'Aubigné présente un tableau apocalyptique de la France en proie aux persécutions, dans une langue précise, excessive, luxuriante. Il dénonce les turpitudes des dirigeants catholiques en leur prêtant des figures de monstres bibliques.

Pour que l'histoire racontée frappe le lecteur, les objets, les idées, les éléments, et la France elle-même, parlent et souffrent avec les martyrs. La violence des sentiments exprimés, les évocations crues et sanglantes, le désordre apparent de la composition et le mélange des métaphores entraînent le lecteur dans un univers chaotique, signe d'une écriture baroque à son comble.

■ Sensualité et cruauté de l'amour

Le Printemps (vers 1570) est dédié à Diane Salviati. Dans un climat sensuel, le poète peint la jouissance de l'amour à la manière pétrarquiste. Il décrit aussi les spectacles violents de ses tourments, et évoque avec angoisse les vicissitudes de l'âge.

■ Chroniques et pamphlets

Dans deux œuvres, d'Aubigné dénonce les catholiques par l'ironie et non plus par la violence : *La Confession catholique du sieur de Sancy* (1610, non publiée) ironise sur les controverses théologiques, *Les Aventures du baron de Faeneste* (1617) ridiculisent un courtisan gascon catholique.

Pseudonyme... et postérité...

Pour publier les *Tragiques,* le poète se cache derrière le pseudonyme énigmatique de L.B.D.D., « le bouc du désert ».
Victor Hugo s'inspire du titre du premier chant des *Tragiques,* « Misères », pour écrire *Les Misérables.* En outre, sa poésie doit beaucoup à la puissance verbale rencontrée chez d'Aubigné.

La Vanité évoque les sciences et les plaisirs transitoires opposés au symbole de la destinée mortelle de l'homme.

MOYEN ÂGE

XVIᵉ SIÈCLE

XVIIᵉ SIÈCLE

XVIIIᵉ SIÈCLE

XIXᵉ SIÈCLE

XXᵉ SIÈCLE

Contes et conteurs

Le conte et la nouvelle sont de courts récits en prose dont les sujets s'inspirent de la vie quotidienne : ils ont pour vocation de faire rire par la moquerie. Au fur et à mesure de leur évolution s'affirment des tendances moralisatrices et psychologiques. Le récit court est un vrai genre littéraire qui s'impose grâce à son réalisme.

▬▬ Qui sont les conteurs ?

☐ Les conteurs sont des humanistes lettrés qui cherchent à s'amuser et à amuser leur entourage. On a souvent hésité à attribuer la paternité des contes à des auteurs connus pour leur sérieux, comme Bonaventure Des Périers (1500-1544) et Marguerite de Navarre ; et ce d'autant plus qu'ils se cachent souvent derrière un pseudonyme.

☐ Leur formation humaniste les pousse à donner au conte un enjeu philosophique. Noël du Fail (1520-1591), par la peinture détaillée des mœurs champêtres, prône un retour à la simplicité de la vie à la campagne qui permet de « ne pas oublier d'être homme ». *Les Nouvelles Récréations et Joyeux Devis* de Des Périers (1510-1544) illustrent le regard amusé que les humanistes portent sur leur propre érudition. Marguerite de Navarre, sous couvert d'histoires scabreuses, propose une analyse détaillée de la complexité du cœur humain.

▬▬ L'esprit gaulois

☐ Les contes sont le plus souvent grivois et anticléricaux ; les femmes et les moines y sont ridiculisés. Fidèles à la tradition orale, ils s'inspirent des récits de veillée à la campagne et prennent toujours place dans un climat joyeux : fêtes, propos de table...

☐ L'inspiration gauloise se retrouve dans le goût pour les situations troubles, la sensualité outrancière et la satire farcesque. Bien des personnages appartiennent à cette vieille tradition grivoise : le maître trompé, le mari cocufié, la femme rusée, le curé berné...

▬▬ Le plaisir de raconter

☐ Les registres sont variés ; les situations d'amour contrarié peuvent être tragiques pour les personnages qui en souffrent, ou comiques par l'accent mis sur les ruses déployées.

☐ Par leur construction, les récits allient le plaisir du conte et une morale pertinente.

☐ La forme générale est apparemment simple : présentation des personnages, anecdote et conclusion rapide. Tout l'art du récit provient du travail sur la langue qui cherche à reproduire le langage quotidien ou la langue savante pour s'en moquer : Bonaventure Des Périers et Marguerite de Navarre pastichent de grands auteurs latins.

▬▬ Prémices du roman moderne

D'autres formes narratives voient le jour simultanément : le roman parodique (*Jean de Paris*) et le roman sentimental (avec Hélisenne de Grenne). Ils veulent redonner une conception idéale de l'amour, qui trouve sa plénitude au siècle suivant.

Une femme conteur :
MARGUERITE DE NAVARRE

Marguerite d'Angoulême, reine de Navarre
Née en 1492 à Angoulême
Morte en 1549 à Odos de Bigorre
Éducation : latin, espagnol, italien (formation humaniste).
Rôle politique : conseillère de son frère François Ier, protectrice des poètes.
Amitiés : Marot, Calvin, Rabelais.
Signe particulier : femme d'Henri d'Albret, roi de Navarre.

■ *L'Heptaméron* : composition

Par ce titre, Marguerite de Navarre indique sa référence au *Décaméron* de l'Italien Boccace. Boccace raconte dix journées (en grec *deca* = dix et *hemera* = jour) de la vie de jeunes Florentins qui passent leur temps à se raconter des histoires. Chez Marguerite de Navarre, seuls les récits de sept journées (d'où *Heptaméron*) ont été achevés. Cinq hommes et cinq femmes, empêchés de poursuivre leur voyage, se réfugient dans une abbaye : ils se racontent des histoires vraies puis en débattent.

■ Variété des points de vue

Tous les jugements s'expriment : selon Hircan et Saffredent, l'homme doit délaisser l'amour courtois pour montrer sa force ; Ennasuite et Parlamente sont favorables à l'amour complice vécu dans le mariage... Toute la force de Marguerite de Navarre réside dans le réalisme psychologique des devisants (les conteurs).
Chaque nouvelle naît de la précédente en lui donnant une suite ou en apportant un point de vue contraire. La discussion qui s'ensuit n'aboutit à aucune conclusion, comme pour rendre compte des contradictions et des ambiguïtés de l'amour humain. Marguerite de Navarre vise moins le comique que la précision et la clarté d'expression propres à traduire la complexité du cœur humain.

Marguerite d'Angoulême et ses amis, devisant au bord du Gard.

Le succès des contes

Le genre a un succès énorme. Au XVIe siècle, on recense vingt-six recueils de contes sans oublier les rééditions de ceux du Moyen Âge et la traduction des contes de l'Antiquité. *Les Nouvelles Récréations et Joyeux Devis* de Bonaventure Des Périers est imprimé treize fois entre 1558 et 1615. On compte six éditions des *Propos rustiques* de Noël du Fail (entre 1548 et 1580), et d'innombrables rééditions de *L'Heptaméron* de Marguerite de Navarre. Leurs lecteurs appartiennent à toutes les classes sociales.

| MOYEN ÂGE |
| **XVIᵉ SIÈCLE** |
| XVIIᵉ SIÈCLE |
| XVIIIᵉ SIÈCLE |
| XIXᵉ SIÈCLE |
| XXᵉ SIÈCLE |

La vie littéraire à Lyon

Au XVIᵉ siècle, Lyon est aussi renommée que Paris. Il s'y tient quatre foires internationales annuelles. Ville de banquiers et de riches marchands, elle est au carrefour des routes vers l'Italie, l'Allemagne et la Suisse. Elle connaît donc un grand essor économique comme une intense vie intellectuelle.

Des cercles littéraires ouverts aux femmes

☐ Les imprimeries se multiplient à Lyon en raison de privilèges royaux obtenus par les éditeurs. La plupart des écrivains y publient donc leurs œuvres.

☐ Les femmes tiennent une place importante, sans doute en raison de la présence de grandes familles italiennes qui donnent à leurs filles une formation solide et une éducation plus libre ; mais aussi parce que la vie littéraire se passe dans des salons, cénacles à l'image des « cours d'Amour » du Moyen Âge. Les femmes peuvent s'y introduire sans choquer alors qu'elles sont encore absentes de toute vie publique.

Des poètes de l'amour contrarié

☐ Influencé par l'amour courtois du *Roman de la Rose* et par les idées mystiques du platonisme, Maurice Scève écrit son œuvre maîtresse *Délie, objet de plus haute vertu* en 1544. Il conduit son lecteur de l'amour sensuel au monde des Idées. Délie est la femme inaccessible, sans doute Pernette du Guillet pour qui Scève éprouvait une passion sans bornes. Sur le mode du *canzoniere* pétrarquiste, le poète dit son amour malheureux.

☐ De fait, Pernette du Guillet est mariée à un homme qu'elle n'aime pas ; dans ses *Rimes* publiées en 1545, elle exprime, sur le mode de l'élégie, son désir amoureux en réponse à Maurice Scève qu'elle nomme explicitement.

☐ Louise Labé inverse les rôles des amants, en trois élégies et vingt-quatre sonnets où elle conjugue sensualité et spiritualité : l'homme devient objet érotique et la femme souffre et énonce son désir.

Une écriture moderne

☐ Les poètes lyonnais ne forment pas une école, et se reconnaissent une grande ouverture d'esprit. Ils puisent dans la culture italienne et dans la culture mystique du Moyen Âge. Ils prennent l'habitude de fréquenter les milieux intellectuels féconds européens.

☐ Par sa sincérité, son ardeur et son audace, Louise Labé fait scandale. En disant l'allégresse de son amour et la douleur de l'absence masculine, elle a donné à la femme un vrai langage amoureux.

☐ La poésie de Scève, quant à elle, est mystérieuse et riche en images abstraites, fugaces, hermétiques, qui l'ont souvent fait comparer aux symbolistes du XIXᵉ siècle. Tout comme Mallarmé et Valéry plus tard, il rend un culte à la poésie qu'il considère comme une activité essentielle de l'homme qui veut accéder à l'immortalité.

SCÈVE :
le maître des poètes lyonnais

Maurice Scève
Né vers 1500 à Lyon
Mort vers 1562

Études : sans doute docteur en droit.
Vie publique : attaché au vicaire de l'archevêque d'Avignon ; maître et théoricien des poètes lyonnais.
Amour : Pernette du Guillet.
Signes particuliers : en 1533, il croit découvrir en Avignon le tombeau de Laure, la dame chantée par Pétrarque ; cette trouvaille lui vaut la célébrité et l'estime de François Ier ; il lance ainsi la mode pétrarquiste en France. Lauréat du concours de blasons organisé par Marot, avec *Le Blason du sourcil*.

■ Étrangetés de l'œuvre de Maurice Scève

Organisation du recueil :
Délie, objet de plus haute vertu est un recueil de 449 dizains décasyllabiques : ces dizains sont regroupés par séries de neuf, chaque série étant inaugurée par un emblème. Un emblème est une gravure qu'accompagnent une devise et un commentaire en vers ou en prose qui donnent le sens de l'image. Chaque emblème est en relation étroite avec le premier dizain de la série ; le dernier vers de ce dizain reprend la devise en la modifiant. Cette composition qui vise à enfermer le dis-cours amoureux dans un cadre très serré et moralisateur (par les devises) contraste avec l'écriture libre, variée et sensuelle de Scève.

Sur le prénom Délie :
On a vu dans le prénom Délie, l'anagramme de « l'idée », ce qui serait une référence au platonisme dont se nourrit Scève. Mais Délie est aussi l'un des surnoms de Diane, vierge chasseresse, et d'Hécate, la déesse de la nuit qui évoque un éternel féminin froid et cruel. Scève montre aussi paradoxalement la souffrance de l'amour el le délice que procure le dépassement de cette souffrance.

Deux grands libraires lyonnais
Les plus beaux livres de l'époque sortent tous des presses de Lyon. Les deux grands libraires (c'est-à-dire aussi éditeurs) lyonnais sont Étienne Dolet (qui publie Marot et Rabelais) et Jean de Tournes (qui publie Marguerite de Navarre, Maurice Scève et Louise Labé). Ils sont à l'origine de deux innovations promises à un grand avenir : l'écriture italique (qui remplace le gothique difficile à lire) et l'*in-octavo* (c'est-à-dire le format obtenu en pliant une feuille de papier en huit) qui permet d'imprimer de petits volumes très maniables, ancêtres de notre livre de poche.

| MOYEN ÂGE |
| **XVIᵉ SIÈCLE** |
| XVIIᵉ SIÈCLE |
| XVIIIᵉ SIÈCLE |
| XIXᵉ SIÈCLE |
| XXᵉ SIÈCLE |

La langue française au XVIᵉ siècle

Durant tout le siècle, les changements sont brusques et considérables. C'est à la fin du siècle seulement que le français sera consacré comme langue littéraire et administrative.

▬▬▬ Orthographe et prononciation

☐ Au XVIᵉ siècle, l'orthographe n'est pas encore fixée. Le même mot peut être orthographié de façons différentes, y compris dans un même ouvrage.

☐ En outre, certains mots subissent des transformations dues à une fausse étymologie : *savoir* vient du latin *sapere*, mais on l'écrit *sçavoir* par analogie avec *scire* qui a le même sens en latin.

☐ La prononciation n'est pas la même qu'aujourd'hui : la diphtongue « oi » est prononcée « oué » ; la terminaison des verbes du premier groupe se prononce « ère » : ainsi le verbe *aimer* rime avec *la mer*.

▬▬▬ Des genres différents d'aujourd'hui

☐ *Amour, art, pleurs, évangile, ouvrage* et *navire* sont féminins. *Affaire, alarme, ardeur, colère, image, Loire* et *rencontre* sont masculins.

☐ Par ailleurs, le féminin des adjectifs est souvent le même que le masculin : on écrit par exemple *la grand amie*.

▬▬▬ Subsistance de mots d'ancien français

☐ Les formes médiévales des démonstratifs *cil* et *cestui* sont couramment employées. De même, de petits mots issus de l'ancien français sont d'un usage courant : *emmi* pour *au milieu de, onc* pour *jamais, ains* pour *mais, si* pour *pourtant, ès* pour l'article contracté *des*.

☐ En outre, certains mots d'origine médiévale ou latine s'emploient souvent dans la langue écrite : *ramentevoir* pour *rappeler, coupeau* pour *sommet, toufeau* pour *touffe*... Le sens de certains mots est plus fort qu'aujourd'hui : *ennui* qui signifie *tourment, étonner* qui signifie *ébahir*...

☐ On emploie couramment l'infinitif substantivé : *le voyager, le manger*...

▬▬▬ La langue des écrivains

☐ Dans l'œuvre de Rabelais, qui correspond au passage du moyen français au français moderne, foisonnent les néologismes et les archaïsmes. Les poètes de la Pléiade, quant à eux, proclament l'urgence de définir des règles d'enrichissement pour éviter un développement anarchique et illogique.

☐ Il faudra pourtant du temps à la langue française pour s'imposer ; Montaigne garde ses gasconismes, d'Aubigné sa syntaxe fantaisiste.

☐ Malherbe et Vaugelas, au début du XVIIᵉ siècle, s'attachent à fixer les traits essentiels de la langue française.

LE LANGAGE AMOUREUX

■ De nouveaux comportements amoureux

En explorant toutes les nuances psychologiques de l'état amoureux, la Renaissance tend vers un idéal amoureux de perfection. Cette aspiration à un amour idéal prend en compte les réalités sociologiques du temps et en particulier le libre choix de la bien-aimée, le droit au plaisir des femmes qui peuvent exprimer désormais leur amour. Les humanistes du XVIe prônent des modes de comportement nouveaux : la nécessité d'un accord psychologique entre les deux amants, d'un dialogue amoureux qui seul permet la fidélité et la croissance de l'amour, d'une discipline personnelle pour faire vivre cet idéal.

■ Trois conceptions de l'amour

Toutefois, le langage amoureux au XVIe siècle est complexe : il oppose ou unit trois conceptions différentes de l'amour.

L'amour courtois : la *fin'amor* désigne la relation amoureuse courtoise, héritée du Moyen Âge, elle se caractérise par la place élevée de la dame qui accepte ou non d'être courtisée. L'homme, pour la mériter, doit franchir des obstacles : battre son rival, prouver son honneur, offrir un cadeau exceptionnel...

À cette forme d'amour se rattache un vocabulaire guerrier plein d'idéal et un langage amoureux et sensuel. C'est un des aspects des premiers poèmes de Ronsard et du *Printemps* d'Agrippa d'Aubigné. C'est aussi la conception amoureuse de bien des protagonistes de *L'Heptaméron*.

Le pétrarquisme : Pétrarque, Italien du XIVe siècle, a adopté le ton de la confession intime, dans ses sonnets dédiés à Laure ; il décrit les phases de ses tourments amoureux dus à la fuite ou à l'absence de sa bien-aimée. L'amour pétrarquiste au XVIe se caractérise par l'emploi d'hyperboles, d'antithèses et d'une langue excessive. Tous les poètes de la Renaissance et en particulier les poètes lyonnais Maurice Scève et Louise Labé s'inspirent de cette forme de plainte amoureuse.

Le néo-platonisme : grâce aux traductions de Marsile Ficin, la lecture de Platon est remise au goût du jour. Pour Platon, la relation amoureuse est conçue comme un élan de l'âme vers Dieu. L'âme progresse ainsi de l'amour humain à l'amour divin, mue par son désir de s'élever dans le monde du Beau, du Bien et du Bon.

Le néo-platonisme se traduit par l'utilisation du vocabulaire mystique pour dire l'amour humain, et par l'idée d'amour platonique qui refuse les plaisirs physiques et aspire à la béatitude. Montaigne et Marguerite de Navarre s'inspirent de cette conception.

MOYEN ÂGE

XVIᵉ SIÈCLE

XVIIᵉ SIÈCLE

XVIIIᵉ SIÈCLE

XIXᵉ SIÈCLE

XXᵉ SIÈCLE

Renouvellement du théâtre

Le renouvellement du théâtre est tardif en raison de la pesanteur de la tradition médiévale. Inquiet de l'esprit de contestation qui envahit les mystères, les farces et les soties, le Parlement en interdit la représentation en 1548. Les genres de l'Antiquité reviennent alors à l'honneur.

■■■■■ Tragédie antique et comédie italienne

☐ L'enseignement humaniste permet de découvrir et de traduire les œuvres des Grecs Euripide, Sophocle, Aristophane et des Latins Sénèque et Térence. L'humanisme par ailleurs s'ouvre au théâtre italien et particulièrement à la *commedia erudita*, comédie d'intrigue autant que de mœurs.

☐ Ces deux influences vont provoquer l'avènement de la tragédie et de la comédie dans la seconde moitié du siècle. Jodelle en 1553 avec *Cléopâtre captive,* pièce lyrique, inaugure le règne de la tragédie française. Il adopte une composition en cinq actes soumise aux trois unités (de temps, de lieu et d'action). La Pléiade voit dans cette forme un tournant théâtral.

■■■■■ L'élaboration des règles théâtrales

☐ Aristote avait déterminé les lois du genre tragique ; dans sa *Poétique* (1561), Scaliger s'en inspire et conçoit les règles de la tragédie : unité de temps (cinq à six heures) et unité d'action (une action unique qui fait alterner les scènes dramatiques et les chœurs lyriques).

☐ Ce cadre sera précisé par Jean de La Taille, qui y ajoute l'unité de lieu, et Vauquelin de La Fresnaye qui propose une inspiration chrétienne. Tous s'accordent pour éviter sur scène ce qui est brutal, sanglant ou invraisemblable. Ces principes ouvrent la voie à la définition du théâtre classique du XVIIᵉ siècle.

■■■■■ Tragédie pathétique et comédie d'intrigue

☐ La tragédie met en scène des personnages de condition élevée, confrontés à un malheur exemplaire auquel ils n'étaient pas préparés. Ils vivent un moment de crise qui se dénoue toujours par une catastrophe. Théodore de Bèze (1519-1605) écrit la première tragédie en langue française, *Abraham sacrifiant* (1550).

☐ Robert Garnier (1544-1590) écrit de nombreuses tragédies à sujets grecs (*Hippolyte, Antigone*) et latins (*Cornélie, Les Juives*). Certes, les monologues lyriques y sont longs et prennent le pas sur l'action. Mais déjà émergent une maîtrise des débats moraux et une organisation subtile des scènes qui créent le pathétique.

☐ Avant la Pléiade, le genre comique n'est représenté que par la farce. Le genre s'oriente néanmoins peu à peu vers des préoccupations psychologiques. Une forme nouvelle de comédie apparaît à l'imitation du théâtre italien : la comédie d'intrigue, faite de rebondissements, écrite en prose, aux personnages réalistes. Pierre de Larivey (1540-1611), avec *Les Esprits* et huit autres pièces, renouvelle le goût pour l'imbroglio, repris par Molière dans ses plus célèbres comédies.

■ La représentation de la tragédie

La tragédie commence à être jouée dans les collèges. Se développe alors le goût pour les tragédies antiques ; les professeurs croient à la pédagogie d'un enseignement fondé sur la récitation et la représentation des textes de l'Antiquité.

Elle est aussi le divertissement de riches bourgeois qui s'amusent à jouer entre eux. Les représentations dans les théâtres sont exceptionnelles. Les troupes ambulantes de tragédiens professionnels n'apparaissent qu'à la fin du siècle.

Les rôles sont toujours tenus par des hommes. La tragédie n'utilise ni décor ni costumes ; de simples tapisseries servent à délimiter l'espace de la scène.

Contrairement à la comédie, la représentation de la tragédie ne se soucie pas de réalisme : les personnages sont glorieux et la diction des acteurs est grandiloquente (on prononce les « e » muets).

La douleur du héros est due à la fatalité, qui est invoquée par le chœur. Ces interventions du chœur marquent des pauses dans le déroulement de l'action et orientent la tragédie vers la division en scènes coupées d'intermèdes.

■ Sujets et mise en scène à l'italienne

La comédie italienne se répand en France grâce aux voyages des humanistes et aux représentations données un peu partout par les troupes italiennes. Elle se caractérise par :

— une répartition en cinq actes séparés par des intermèdes musicaux ;

— une intrigue très serrée qui part d'une situation initiale et évolue par rebondissements, souvent liés à des aventures galantes ;

— la présence de personnages typés et réalistes : vieillard amoureux, servante rusée, entremetteuse hypocrite...

La mise en scène change : le public est disposé autour d'une scène en demi-cercle qui contient un décor en perspective. On crée les coulisses permanentes qui suggèrent d'autres lieux que celui représenté sur scène ; le spectateur sait ce qui se passe ailleurs et devient alors complice de certains personnages ; il en sait même souvent plus long et a donc l'impression de nouer lui-même l'intrigue.

Personnages de la comédie (fin XVIe siècle).

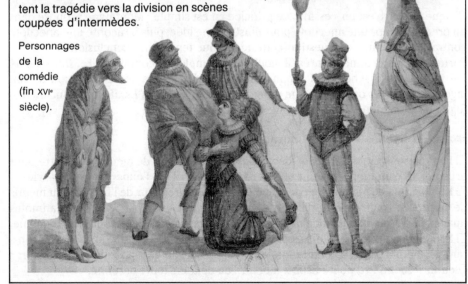

MOYEN ÂGE

XVIᵉ SIÈCLE

XVIIᵉ SIÈCLE

XVIIIᵉ SIÈCLE

XIXᵉ SIÈCLE

XXᵉ SIÈCLE

Vérités sur l'homme

Le XVIᵉ siècle connaît trois remises en cause qui font vaciller ses convictions sur la place de l'homme dans l'univers et vis-à-vis de Dieu : la découverte du Nouveau Monde, la révolution copernicienne et le protestantisme. Marqués par l'incertitude, certains humanistes vont rechercher de nouvelles attitudes devant la vie.

L'expression de l'incertitude

☐ Montaigne et Jean de Sponde traduisent dans leurs écritures ces changements et les sentiments qu'ils leur inspirent. La contradiction, l'ambiguïté et l'impossibilité de porter des jugements définitifs caractérisent leurs œuvres.

☐ Sponde, dans les *Essais de quelques poèmes chrétiens* (1588), est hanté par l'inconstance et la fragilité des constructions intellectuelles. Dans les *Essais,* Montaigne ne cesse de dire sa difficulté à exprimer sa pensée et la relativité de ses affirmations.

Une autobiographie pour atteindre la sagesse

Montaigne n'adopte pourtant ni le ton de la confidence ni celui de la confession ; son projet n'est pas là. Ses considérations sont celles d'un moraliste qui désire se connaître et conquérir la sagesse ; il cherche, hésite... et s'il se choisit comme matière de son livre, c'est qu'il se connaît mieux qu'aucun autre. Par ailleurs, il pense que son cas individuel a valeur d'exemple car « chaque homme porte la forme entière de l'humaine condition » (III, 2).

La méthode de Montaigne : le dialogue

Chaque chapitre est un « essai ». Le principe en est simple : Montaigne propose dans un premier temps une anecdote pour illustrer une idée, puis il raconte une anecdote contraire qui remet en question cette idée pour tenter une conclusion.

Parfois, plusieurs années après, il ajoute un exemple, un commentaire. Jamais il ne livre une pensée achevée. Il propose au lecteur les étapes de l'élaboration de son jugement toujours ouvert sur une réflexion postérieure. Les *Essais* sont donc un dialogue de Montaigne avec lui-même et avec son lecteur.

Nouvelles attitudes morales

☐ La philosophie qui se dégage des *Essais* est la nécessité de bien se connaître pour accepter la condition humaine. La pensée se nourrit de l'expérience de la vie.

☐ Le stoïcisme de Montaigne consiste en l'idée de la grandeur de l'homme, du mépris de sa propre souffrance et dans le désir d'une mort exemplaire. Il est néanmoins nuancé par la reconnaissance des difficultés et des misères de la condition humaine.

☐ Sponde, quant à lui, a l'obsession de la mort qui le délivrerait du monde inconstant des hommes. Cette méditation le pousse vers Dieu qu'il appelle à son secours ; Dieu lui répond ; le poète aspire alors à l'au-delà en toute sérénité.

MONTAIGNE :
une pensée en évolution permanente

Michel Eyquem de Montaigne
Né en 1533 au château de Montaigne en Périgord
Mort en 1592 à Montaigne

Éducation : assurée par son père (latin, grec).

Vie publique : charge de magistrat à Périgueux, puis au parlement de Bordeaux, puis maire de Bordeaux (en 1581) après une retraite de treize ans à Montaigne.

Amitiés : Étienne de La Boétie (dont la mort courageuse frappe beaucoup Montaigne), Marie de Gournay (qui l'entourera à la fin de sa vie et rassemblera ses dernières notes).

Voyage : 1580-1581 : grand voyage à travers l'Allemagne et l'Italie.

Signe particulier : atteint de la gravelle (maladie rénale).

■ Que sont les *Essais* ?

« Essayer » une pensée, c'est l'observer et l'analyser selon divers points de vue pour ébaucher ensuite une opinion. « S'essayer », c'est tenter de mesurer sa vie, son expérience et celle des autres, non pas par la théorie mais par ses propres réactions et sentiments. Dans les *Essais* convergent ces deux perspectives.

■ Composition des *Essais*

Les *Essais* se présentent sous la forme de trois livres rédigés entre 1570 et 1580 pour les deux premiers, en 1588 pour le troisième. Mais tous trois sont repris, augmentés, annotés tout au long de la vie de Montaigne jusqu'à la dernière édition. En tout dans l'édition finale, on compte 107 chapitres de longueur très variable.
— Le livre I est plutôt consacré aux observations d'ordre politique et militaire et aux grands thèmes de la condition humaine (la mort, l'amitié, la solitude, l'éducation).
— Le livre II présente les idées personnelles et les goûts littéraires de Montaigne.
— Quant au livre III, il développe des considérations politiques et méthodologiques (sur la peinture du moi) ainsi que des remarques sur le Nouveau Monde.

■ Le système de la notation

Pour suivre l'itinéraire intérieur de Montaigne, mieux vaut se référer aux signes qu'il a choisis pour noter ses ajouts : a) pour l'édition de 1580, b) pour celle de 1588 et c) pour celle de 1595 (édition posthume faite des notes rassemblées par Marie de Gournay). Ainsi l'ordre de la pensée n'est pas linéaire, mais doit être reconstitué par le lecteur.

Château de Montaigne, dans le Périgord.

MOYEN ÂGE

XVIe SIÈCLE

XVIIe SIÈCLE

XVIIIe SIÈCLE

XIXe SIÈCLE

XXe SIÈCLE

Le XVIIe siècle

▬▬▬ L'ordre monarchique contre la profusion baroque

☐ Pendant la première moitié du XVIIe siècle, la France connaît une grande instabilité : les seigneurs sont en conflit ouvert avec l'autorité royale ; les protestants, reconnus depuis l'édit de nantes (1598), rassemblent leurs troupes et s'organisent en cités indépendantes. Cette période agitée correspond à l'âge baroque et se traduit dans la mentalité par la fantaisie et l'imagination.

☐ Tout l'effort du pouvoir consiste à endiguer le désordre. Par de nombreux décrets, Louis XIII et Richelieu renforcent le pouvoir du roi. Après 1661, Louis XIV impose la monarchie absolue : il ne doit rendre de compte à aucune autorité humaine, il est responsable devant Dieu seul.

▬▬▬ La centralisation de la vie artistique

☐ Louis XIII et Louis XIV se veulent les protecteurs des lettres et des arts. Ils cherchent à offrir l'image d'une vie de cour brillante. Ils cherchent aussi à imposer leurs goûts et à contrôler les esprits : par l'attribution de pensions, ils favorisent les artistes qui leur plaisent. La culture devient dépendante de l'Etat. Cependant, Louis XIV fait souvent preuve de discernement et de goût dans ses jugements. Il préserve même la liberté d'expression en protégeant Molière contre les dévôts.

▬▬▬ La montée de l'austérité et du pessimisme

☐ La réflexion sur la nature humaine s'appuie sur l'étude des comportements et de leurs motivations. Entre 1630 et 1650 domine l'optimisme. Corneille croit aux passions nobles qui permettent à l'homme d'atteindre la grandeur héroïque. Vers 1660, notamment chez Molière et La Fontaine, le tableau s'assombrit : l'homme est plus sensible aux vices qu'aux vertus. Pour le jansénisme qui domine la fin du siècle, l'homme est esclave de son amour-propre (La Rochefoucauld) et de ses passions (Racine). Il doit quitter le monde et ses tentations s'il veut échapper à l'abîme du pêché.

▬▬▬ Les misères du Grand Siècle

☐ La grandeur du XVIIe siècle vient à la fois de la politique prestigieuse de Louis XIV (succès militaires, éclat de la vie sociale et artistique) et de l'idéal moral de l'honnête homme : chez lui, la raison, la culture et l'éducation l'emportent sur les sentiments égoïstes et les passions destructrices.

☐ Pourtant, derrière cette grandeur se cache un peuple misérable, accablé par les impôts, décimé par la guerre. Cette injustice, ajoutée à des échecs militaires, à un durcissement de l'autorité et à des difficultés économiques, suscite les protestations de beaucoup d'esprits éclairés (La Bruyère, Fénelon, Saint-Simon).

Règnes	Vie politique	Littérature française	Les arts en France
Henri IV 1589-1610	1610 — Assassinat d'Henri IV	1600 — Malherbe : *Ode à Marie de Médicis* 1607 — Honoré d'Urfé : *L'Astrée (I à III)* 1621 — Théophile de Viau : Poésies	
Régence de Marie de Médicis 1610-1614			1612 — Place Royale 1621 — Luxembourg
Louis XIII 1610-1643	1624 — Richelieu, premier ministre 1630 — Journée des Dupes 1635 — Fondation de l'Académie française 1642 — Mort de Richelieu	1636 — Corneille : *Le Cid* 1637 — Descartes : *Discours de la Méthode* 1640 — Corneille : *Horace* 1642 — Corneille : *Polyeucte*	1630 — Jacques Callot : *Les Misères de la guerre* 1631 — Premier Versailles 1634 — Académie française 1635 — Philippe de Champagne : *Portrait de Richelieu* 1637 — Poussin : *Enlèvement des Sabines* 1640 — G. de la Tour : *La Tricheuse à l'as de carreau* 1642 — Le Nain : *Famille de paysans*
Régence d'Anne d'Autriche 1643-1661 **Louis XIV** 1643-1715	1643 — Mazarin, premier ministre 1648 — Traité de Westphalie : la France gagne l'Alsace 1649 — France parlementaire 1650 — France des Princes 1664 — Arrestation de Fouquet 1678 — Traité de Nimègue. Acquisition de la Franche-Comté 1685 — Révocation de l'édit de Nantes 1688 — Guerre d'Aufsboug 1701 — Guerre de Succession d'Espagne 1702 — Révolte des Camisards	1659 — Molière : *Les Précieuses ridicules* 1662 — Molière : *L'École des femmes* 1664 — La Rochefoucauld : *Maximes* 1666 — Molière : *Le Misanthrope* 1667 — Racine : *Andromaque* 1668 — Pascal : *Pensées* La Fontaine : *Fables (I à VI)* 1670 — Bossuet : *Oraison funèbre de Madame* Racine : *Bérénice* Corneille : *Tite et Bérénice* 1673 — Molière : *le Malade imaginaire* 1677 — Racine : *Phèdre* 1678 — Mme de la Fayette : *La Princesse de Clèves* 1688 — La Bruyère : *Caractères* 1691 — Racine : *Athalie* 1695 — Fénelon : *Télémaque*	1660 — Le Vau : Vaux-le-Vicomte 1662 — Lulli, maître de la musique royale 1663 — Le Nôtre dessine le parc de Versailles 1670 — Invalides (début) 1671 — Lebrun décore Versailles 1673 — Girardon : *Apollon servi par les nymphes* 1680 — Constitution de la Comédie-Française

| MOYEN ÂGE |
| XVIᵉ SIÈCLE |
| **XVIIᵉ SIÈCLE** |
| XVIIIᵉ SIÈCLE |
| XIXᵉ SIÈCLE |
| XXᵉ SIÈCLE |

L'esprit baroque

Le mot baroque désigne à l'origine une perle de forme irrégulière. Il est utilisé au XIXᵉ siècle pour nommer les formes irrégulières du mouvement artistique, venu d'Italie, qui se développe en France de 1580 à 1640. Cette complexité des formes traduit le goût pour les apparences et le sentiment de l'instabilité du monde.

▬▬▬ Une esthétique de l'illusion

☐ Le baroque répond au goût du spectaculaire et du grandiose : sa littérature est hantée de fêtes, de spectacles, de parcs ornés de statues. Les personnages des romans d'Honoré d'Urfé se promènent dans des jardins superbes et participent à des fêtes grandioses ; La Fontaine, dans son poème *Le Songe de Vaux*, célèbre les fêtes que donnait Fouquet à Vaux-le-Vicomte.

☐ La grandeur artificielle de ces manifestations, créées par l'homme, résulte du goût de l'illusion. Partout masques, déguisements, reflets, jeux d'ombre et de lumière, font miroiter un monde changeant et insaisissable. Au théâtre, le spectateur distingue mal fiction et réalité : les pièces baroques, comme *L'Illusion comique* de Corneille, mettent en scène des comédiens jouant une pièce de théâtre. Pour dire la complexité du monde, les romans deviennent plus longs ; les intrigues se mêlent et les rebondissements se multiplient.

▬▬▬ L'écriture baroque : entre idéal et réalité

☐ L'écriture baroque ne connaît plus de mesure lorsqu'elle décrit la beauté d'un lieu ou la grandeur d'un personnage. Elle recherche les images et les comparaisons grandioses, utilise l'hyperbole et l'accumulation.

☐ En outre les écrivains baroques multiplient les antithèses et font apparaître les contradictions du monde : tantôt le ton reste badin et le style exploite le paradoxe et la pointe finale ; tantôt le ton est grave : derrière de beaux décors se profilent la maladie et la mort.

▬▬▬ Le renouveau de la poésie lyrique

☐ La poésie baroque, d'abord marquée par les guerres de Religion, exprime le trouble des esprits. Sponde utilise une langue surchargée d'images concrètes et multiplie les figures de style. L'excès culmine avec Agrippa d'Aubigné, qui dénonce les catholiques avec violence : antithèses, accumulations, proliférations d'images horribles.

☐ Lorsque la paix revient en France, la poésie baroque, plus sereine, reprend les thèmes de la Pléiade qu'elle traite de manière originale. La nature charme désormais par son visage fugitif et fuyant : vent, nuages, arcs-en-ciel, eau miroitante ou jaillissante. L'amour fidèle n'empêche pas de chanter les plaisirs de l'inconstance. Le sentiment de la fuite du temps est amplifié par la conscience de la vanité des entreprises humaines. Seule la constance divine peut apaiser l'homme saisi d'angoisse face à la mort.

UN ROMAN BAROQUE EXEMPLAIRE : L'ASTRÉE

■ Les origines

Auteur : Honoré d'Urfé (1567-1625) pour la plus grande partie ; Baro, son secrétaire, termina l'œuvre laissée inachevée par d'Urfé.

Sources d'inspiration : romans de chevalerie, romans sentimentaux, pastorales italiennes, romans de bergerie espagnols.

Éléments biographiques : le roman se déroule dans la région du Forez qui n'est autre que la région natale de d'Urfé. Elle correspond au lieu mythique de l'âge d'or, de l'enfance merveilleuse.

Par ailleurs, d'Urfé s'est inspiré de sa propre vie sentimentale. Très amoureux de Diane de Chateaumorand, femme de son frère aîné, il l'épouse au bout de dix ans, après l'annulation du premier mariage de Diane. Mais assez vite les deux époux se sépareront. Ses déboires et déceptions nourrissent l'œuvre entière.

■ La présentation

Publication : de 1607 à 1624. L'ensemble ne paraît qu'en 1832.

Composition : plus de 5 000 pages réparties en cinq parties, divisées chacune en douze livres.

Sujet : au VIe siècle, à l'époque des druides, la bergère Astrée et le berger Céladon franchissent de nombreux obstacles (haine des familles, jalousie du jeune Sémire...) avant de se retrouver. Sur ce sujet principal viennent se greffer plus de 45 intrigues secondaires avec 200 personnages environ.

Succès : L'Astrée a fortement marqué la sensibilité du XVIIe siècle et particulièrement celle des salons précieux. Ses analyses psychologiques influencèrent les tragédies cornéliennes et raciniennes.

■ La psychologie amoureuse

Chaque personnage de L'Astrée incarne une attitude ou un sentiment amoureux : Hylas l'inconstance, Sylvandre l'adoration mystique, Céladon la fidélité... Chez chacun, l'amour naît du charnel et passe insensiblement au spirituel, autrement dit à « l'honnête amitié ».

Dans les intrigues secondaires, les situations amoureuses sont toujours complexes au début : celui qui aime n'est pas aimé de l'objet de son amour mais suscite la passion d'un autre qu'il n'aime pas. Ce décalage amoureux permet à l'auteur d'analyser, souvent avec beaucoup de vérité et de subtilité, les nuances des sentiments. Honoré d'Urfé a ainsi ouvert la voie au roman d'analyse et à la tragédie amoureuse.

Principales œuvres baroques

Agrippa d'Aubigné (1552-1630) : Les Tragiques (1616), long poème épique et satirique (9 000 vers).

François de Malherbe (1555-1597) : Les larmes de saint Pierre (1587), poésie.

Jean de Sponde (1567-1625) : Essai de quelques poèmes chrétiens (1588).

Marthurin Régnier (1573-1613) : Satires (de 1608 à 1613), poésie.

Théophile de Viau (1590-1626) : Pyrame et Thisbé (1621), tragédie ; Œuvres poétiques (1621-1624).

Charles Sorel (1602-1674) : Histoire amoureuse de Cléagénor et Doristée (1621) : roman ; Histoire comique de Francion (1623), roman ; Le Berger extravagant (1637), roman.

Pierre Corneille (1606-1684) : L'Illusion comique (1636), comédie ; Le Cid (1637), tragi-comédie.

MOYEN ÂGE

XVIᵉ SIÈCLE

XVIIᵉ SIÈCLE

XVIIIᵉ SIÈCLE

XIXᵉ SIÈCLE

XXᵉ SIÈCLE

Burlesque et préciosité

Préciosité et burlesque sont des formes d'expression issues du baroque. Toutes deux sont excessives : la préciosité recherche le raffinement de l'esprit en gommant toute forme de grossièreté ; le burlesque traite en termes comiques, voire grossiers, de choses sérieuses.

■■■■■ L'expression précieuse

☐ La préciosité privilégie une expression emphatique, riche en exagérations et en images ; les romans, où les péripéties s'accumulent, atteignent des records de longueur (10 volumes).

☐ Le style précieux est travaillé : multiplication des métaphores, savamment élaborées (emploi inhabituel d'adjectifs : lèvres bien ourlées ; alliance du concret et de l'abstrait : avoir l'âme sombre, l'intelligence épaisse), utilisation de l'adjectif substantivé (l'inhumaine, l'effroyable), préférence systématique de la périphrase à l'expression simple et directe.

☐ En outre la préciosité choisit un vocabulaire subtil et refuse d'aborder les sujets vulgaires.

■■■■■ La géographie des sentiments

☐ Le thème dominant de la préciosité est l'amour, un amour éthéré et spirituel duquel le corps est exclu.

☐ Les auteurs précieux étudient la gamme infinie des impressions ressenties, et élaborent une géographie amoureuse en disposant sur une carte la multiplicité des sentiments. C'est la Carte du Tendre, née dans le salon de Mlle de Scudéry ; elle traduit par l'image quatre sentiments : la reconnaissance, l'estime, l'inclination et la tendresse. À partir de là, se définit la stratégie amoureuse.

■■■■■ Le burlesque, envers de la préciosité

☐ Là où la préciosité cherche à idéaliser, le burlesque vise la dérision. Il recourt à divers procédés.

☐ La parodie consiste à imiter une œuvre en la déformant : dans *Virgile travesti* (1648-1652), Scarron tourne en dérision les aventures d'Énée racontées par Virgile. Il multiplie les détails concrets et les termes grossiers, utilise des formes poétiques pour traiter de sujets vulgaires, recherche les calembours, les équivoques gaillardes, les comparaisons triviales. Ce type d'écriture exige du lecteur une grande érudition pour apprécier les transpositions.

☐ La satire aspire à faire changer la société : elle peint avec réalisme et humour tantôt les mesquineries et les injustices sociales, tantôt un voyage dans un pays imaginaire où l'organisation sociale idéale s'oppose à ce qui existe (Cyrano de Bergerac : *Histoire comique des États et Empires de la Lune,* 1657 et *États et Empires du Soleil,* 1662).

AUTOUR DE LA PRÉCIOSITÉ

■ Le salon de Mlle de Scudéry

Ce salon connut son heure de gloire entre 1652 et 1661. Madeleine de Scudéry, célibataire, avait 45 ans en 1652. Tous les samedis, elle tenait salon dans sa demeure du Marais que fréquentaient notamment La Rochefoucauld, Mme de Sévigné et Mme de La Fayette. Les invités dédaignaient les jeux mondains, pratiqués dans les autres salons, préférant des discussions graves (réflexions morales, analyses psychologiques) et une réflexion littéraire approfondie.

■ Les précieuses sont-elles ridicules ?

À l'origine, le mouvement précieux n'a rien de ridicule. Il est né en réaction au style rustre de la cour de Henri IV. Dès 1608, la marquise de Rambouillet ouvre le premier salon littéraire et réunit autour d'elle une société raffinée mais non pédante.

Le mouvement précieux, dans lequel la femme tient la place centrale, se distingue par ses idées nouvelles : la naissance compte moins que la qualité personnelle ; la femme doit être libre dans le choix de son mari ; le célibat jouit d'un prestige nouveau.

Vers 1660, les salons se multiplient à Paris et en province. La préciosité devient une mode vestimentaire et linguistique qui recherche l'extravagance. De la préciosité, il ne reste que la forme : elle en devient ridicule

■ La préciosité annonce le classicisme

La préciosité a joué un rôle essentiel dans l'avènement du classicisme. Son souci de bienséance et ses codes du langage amoureux sont repris par les classiques. La vie des salons a mis à l'honneur l'analyse psychologique, omniprésente chez tous les auteurs classiques.

■ Petit lexique précieux

— Une règle de la préciosité exige que tous les mots crus, vulgaires ou trop simples, soient remplacés par des périphrases élégantes.

balai : instrument de la propreté.
fauteuil : commodité de la conversation.
table : universelle commodité.
poissons : habitants du Royaume de Neptune.
fenêtre : porte du jour.
laquais : nécessaire ou inutile.
nager : visiter les Naïades.

Il faut dire par exemple : « Ma commune, allez quérir mon zéphyr dans mon précieux », au lieu de « Ma suivante, allez chercher mon éventail dans mon cabinet ».

— Expressions précieuses passées dans le langage courant : perdre son sérieux, s'encanailler, châtier son style, faire des avances, s'embarquer dans une mauvaise affaire, rire d'intelligence avec, un tour d'esprit.

Principales œuvres précieuses

Poésies

Théophile de Viau : *Œuvres poétiques* (1621-1624).

Marc-Antoine Girard Saint-Amant : *Œuvres poétiques* (1629, 1631, 1643, 1649).

Vincent Voiture : *Œuvres* (1649-1658).

Tristan L'Hermite : *Les Plaintes d'Acante* (1633) ; *Vers héroïques* (1648).

Romans

Madeleine de Scudéry : *Le Grand Cyrus* (1649-1653), dix volumes, 13 095 pages ; *Clélie* (1654-1660), dix volumes.

Lettres littéraires

Cyrano de Bergerac : *Lettres* (1654).

MOYEN ÂGE

XVIᵉ SIÈCLE

XVIIᵉ SIÈCLE

XVIIIᵉ SIÈCLE

XIXᵉ SIÈCLE

XXᵉ SIÈCLE

La pensée janséniste

Le jansénisme est une doctrine austère prêchée par l'évêque flamand Cornélius Jansen, dit Jansénius (1585-1638) : l'homme ne peut participer à son salut et seuls seront sauvés quelques élus de Dieu. Pascal est le principal défenseur français de cette doctrine philosophique et religieuse.

▬▬▬ Le problème théologique de la grâce

☐ Selon Jansénius, Dieu accorde ou refuse la grâce à chaque individu dès sa naissance. L'abbé de Saint-Cyran (1581-1643) diffuse cette idée à l'abbaye de Port-Royal ; elle va à l'encontre de la conception jésuite de Molina (1536-1600) qui affirme que le salut et la damnation dépendent de la volonté de chacun.

☐ Pour les jansénistes, le salut n'est pas dû au mérite (ce qui limiterait la puissance divine) mais au choix de Dieu. Les jésuites attaquent violemment cette thèse et la font condamner par le pape.

☐ Pascal entreprend alors d'écrire *Les Provinciales* où, avec une ironie subtile, il reproche aux jésuites leur indulgence excessive. Il pose en outre les grands problèmes de la grâce, de la destinée et de la vie morale.

▬▬▬ Les conséquences morales

☐ Pour les jésuites, il n'y a péché que lorsqu'il y a conscience du péché. La casuistique (partie de la théologie qui étudie l'application des principes généraux dans les cas particuliers) détermine la responsabilité humaine en face du péché, et excuse parfois les pires actions accomplies avec de bonnes intentions.

☐ Les jansénistes dénoncent le laxisme de cette attitude et considèrent que l'homme, incapable de se sauver, doit abandonner l'action, se tourner vers la contemplation et l'espérance de la grâce.

▬▬▬ Le pari pascalien : le salut est dans la foi

☐ Pascal cherche à réveiller la conscience des hommes (libertins, chrétiens mondains) qui s'adonnent au divertissement (travail et plaisir) pour échapper à leur condition misérable. Il les invite à faire le grand choix qui détermine toute vie humaine : « parier » pour ou contre Dieu. Sans prétendre prouver l'existence de Dieu, Pascal montre les avantages que l'homme tire de l'existence de Dieu. La foi naît de la pratique *a priori* de la religion chrétienne.

☐ La foi change le regard ; elle révèle la présence cachée de Dieu dans la Nature, dans l'Écriture et dans l'Histoire. Le vrai but de l'homme n'est pas la connaissance, mais la sainteté.

☐ L'homme doit choisir une vie d'humilité, de pénitence et de piété qui le fait s'approcher de Dieu. Ainsi la pratique de la vertu conduit à la foi, qui elle-même conduit au salut.

PASCAL :
l'apologie de la religion chrétienne

Blaise Pascal
Né en 1623 à
Clermont-Ferrand
Mort en 1662 à Paris

Famille : sa mère meurt quand il a trois ans ; son père, très cultivé, contribue beaucoup à l'instruction de ses enfants. La plus jeune de ses deux sœurs entre comme religieuse à Port-Royal.
Religion : catholique ; en 1646, conversion de la famille au jansénisme ; en 1654, seconde conversion de Pascal (il devient mystique et ascète).
Signe particulier : génie précoce.
À 11 ans, il écrit un petit traité sur la propagation des sons. Par la suite, il continue à faire de grandes découvertes physiques et mathématiques (pression atmosphérique, machine arithmétique — ancêtre de la machine à calculer —; calcul des probabilités...)

■ Les *Pensées* (1670) : beauté d'une œuvre inachevée

Les *Pensées* sont les notes, organisées en vingt-sept liasses, d'un grand ouvrage pour la défense du christianisme qui devait s'appeler *Apologie de la religion chrétienne*. Dans la première partie consacrée à l'homme, Pascal fait le tableau de la grandeur et de la misère de l'homme et de la société. Dans la deuxième partie consacrée à Dieu, il montre la nécessité de connaître Dieu et donne des preuves de son existence.
Les *Pensées* se présentent comme une œuvre inachevée. Cette forme morcelée et irrégulière séduisit pourtant les lecteurs qui apprécièrent la concision des propositions et la sobriété des images, tirées de la vie quotidienne (le roseau).

■ L'art de persuader

Plus soucieux de raisonnement que de style, Pascal refuse la grandiloquence et le didactisme. Il choisit de mettre le terme propre à sa place propre. La disposition des propositions subordonnées est rigoureuse pour rendre compte de la hiérarchie des idées et convaincre ainsi le lecteur. Pourtant le style ne manque pas de poésie : pour chanter les grands thèmes de la mort, de la fuite du temps, de la faiblesse humaine, le ton se fait lyrique, rempli d'une émotion contenue et discrète. Le verset rythme le discours. Dans ses principes littéraires, Pascal inaugure l'expression classique.

Abbaye de Port-Royal-des-Champs.

Petit historique du mouvement janséniste

1633 : l'abbé de Saint-Cyran devient aumônier de l'abbaye de Port-Royal où il répand les idées de Jansénius. Les jansénistes condamnent l'absolutisme de Louis XIV, lequel réplique vivement en s'appuyant sur les condamnations du jansénisme par le pape.
1664 : les religieuses de Port-Royal sont excommuniées.
1679 : interdiction de recevoir des novices au couvent.
1710 : destruction de Port-Royal.

MOYEN ÂGE

XVIᵉ SIÈCLE

XVIIᵉ SIÈCLE

XVIIIᵉ SIÈCLE

XIXᵉ SIÈCLE

XXᵉ SIÈCLE

Le théâtre entre baroque et classicisme

L'inspiration baroque qui se manifeste jusque vers 1640 s'oppose à toute règle. Pierre Corneille, héritier de cette tradition, va donner au théâtre une orientation plus rigoureuse.

▬▬ Pastorale dramatique et tragi-comédie

☐ La pastorale se déroule dans un cadre champêtre idéalisé où les amours entre bergers et bergères se font et se défont. Les interventions divines et les épisodes burlesques ne sont pas rares. Ce genre, au succès provisoire, renforce le goût du merveilleux au théâtre.

☐ La tragi-comédie reprend les thèmes des romans héroïques et les rend souvent invraisemblables : passions forcenées, interventions surnaturelles magiques, personnages indécents et représentations de l'horreur. Les œuvres d'Alexandre Hardy (1572-1632), imprégnées de cet esprit baroque, connaissent un très grand succès. Son sens de l'action dramatique annonce la tragédie cornélienne.

▬▬ L'établissement de la tragédie classique

☐ Au nom de la raison, une réaction se dessine vers 1630 en faveur du retour à l'ordre et à la logique. Jean Mairet (1604-1686) avec *Sophonisbe* (1634) et Jean Rotrou (1609-1650) avec *Hercule mourant* (1634) deviennent les chefs de file d'une génération de dramaturges soucieux du respect des conventions : nécessité de purger les passions et d'introduire des règles de bienséance, de vraisemblance et d'unité.

☐ L'unité d'action consiste à éliminer toute anecdote et à concentrer l'action sur une seule intrigue. L'unité de temps (vingt-quatre heures) permet au temps de la représentation de coïncider (à peu près) avec le temps de fiction. De même, l'unité de lieu (un seul lieu) correspond à la scène, par nature unique.

▬▬ La querelle du *Cid*

☐ *Le Cid* (1637) de Pierre Corneille est le meilleur témoignage du conflit entre baroque et classicisme. L'auteur a appliqué la règle des trois unités (temps, lieu, action), mais la pièce est accusée d'invraisemblance par les tenants de la régularité : l'action est surabondante pour une durée de vingt-quatre heures ; le lieu est un quartier et non un endroit précis ; l'intrigue secondaire, l'amour de l'Infante pour Rodrigue, éclipse l'action principale, l'amour de Chimène et Rodrigue. Sans se soucier de la critique, le public accueille la pièce avec enthousiasme.

☐ *Le Cid* (1637) de Pierre Corneille est le meilleur témoignage du conflit entre baroque et classicisme. L'auteur a recherché un dépouillement qui se rapproche de la règle des trois unités, mais la pièce est accusée d'invraisemblance par les tenants de la régularité : l'action est surabondante pour une durée de vingt-quatre heures ; le lieu est un quartier et non un endroit précis ; l'intrigue secondaire, l'amour de l'Infante pour Rodrigue, éclipse l'action principale, l'amour de Chimène et Rodrigue. Sans se soucier de la critique, le public accueille la pièce avec enthousiasme.

CORNEILLE :
le créateur d'un univers héroïque

Pierre Corneille
Né en 1606 à Rouen
Mort en 1686 à Paris

Études : collège de jésuites de Rouen, puis licence en droit ; il devient avocat mais renonce à plaider par manque d'éloquence.

Amours : en 1640, il épouse Marie de Lampérière (ils ont sept enfants) ; en 1658, il s'éprend de la marquise du Parc, actrice.

Amitié : Thomas Corneille, son frère, auteur dramatique.

Rivalité : Racine, qui connaît un grand succès, à partir de 1667.

Signe particulier : a interrompu sa carrière littéraire à deux reprises : trois ans, après la querelle du *Cid* (1637-1640), sept ans, après l'échec de *Pertharite* (1652-1659).

d'abord renoncé : le pouvoir pour Auguste (*Cinna*), le mariage avec Chimène pour Rodrigue...

Le héros est animé par deux impulsions. L'une, noble, relève de la raison et de l'esprit : c'est le sens de l'honneur. L'autre, irrationnelle et instinctive, est liée au cœur : c'est la passion amoureuse. Le dilemme cornélien est le cas de conscience qui se pose lorsque honneur et passion s'opposent. Le choix est néanmoins toujours le même, car pour vivre un amour noble, seul digne d'un héros, il faut d'abord garder son honneur intact : Rodrigue doit perdre Chimène qu'il aime pour venger son père. Le héros cornélien assume complètement la décision qu'il prend ; il accepte de maîtriser ses impulsions selon son libre consentement. Ainsi acquiert-il une liberté totale : il ne dépend de personne et refuse toute fatalité.

■ L'œuvre de Pierre Corneille

L'œuvre de Pierre Corneille est variée : elle comprend 33 œuvres.

Des comédies, dont *Mélite* (1629), *La Galerie du palais* (1632), *L'Illusion comique* (1636), *Le Menteur* (1643).

Des tragédies « régulières », dont *Le Cid* (1637), *Horace* (1640), *Cinna* (1641), *Polyeucte* (1642).

Des drames, dont *Rodogune* (1645), *Nicomède* (1651), *Sertorius* (1662), *Tite et Bérénice* (1670), *Suréna* (1674).

■ L'héroïsme, signe de liberté

L'héroïsme, chez Corneille, consiste à choisir la grandeur morale (fidélité, générosité, honneur) ou le bien de la nation (patriotisme) plutôt que l'intérêt personnel. Au service de son idéal, le héros accepte le risque de mourir. La récompense en est la gloire, et parfois la satisfaction de retrouver accru ce à quoi il avait

Les vers célèbres de Corneille

— « Va, cours, vole, et nous venge » (don Diègue dans *Le Cid*)

— « Je suis jeune, il est vrai, mais aux âmes bien nées / la valeur n'attend pas le nombre des années » (don Rodrigue dans *Le Cid*)

— « Et le combat cessa faute de combattants » (don Rodrigue dans *Le Cid*)

— « Qui veut mourir ou vaincre est vaincu rarement » (Horace dans *Horace*)

— « Rome, l'unique objet de mon ressentiment... » (Camille dans *Horace*)

— « Elle a trop de vertus pour n'être pas chrétienne » (Polyeucte dans *Polyeucte*)

— « Il faut bonne mémoire après qu'on a menti » (Cliton dans *Le Menteur*)

— « Rome n'est plus dans Rome, elle est toute où je suis » (Sertorius dans *Sertorius*)

MOYEN ÂGE

XVIᵉ SIÈCLE

XVIIᵉ SIÈCLE

XVIIIᵉ SIÈCLE

XIXᵉ SIÈCLE

XXᵉ SIÈCLE

Le classicisme

Le XVIIᵉ siècle est appelé siècle classique. Mais le classicisme n'atteint sa forme la plus pure qu'entre 1660 et 1680. Les auteurs (La Fontaine, Boileau, Racine et Molière) ne forment pas une école mais partagent une même conviction (la nécessité d'imiter les Anciens) et une même esthétique (écriture claire, mesurée, élégante). En 1674, Boileau résume les principes classiques.

Tout définir et tout normaliser

☐ Le XVIᵉ siècle avait cherché à enrichir le vocabulaire ; le XVIIᵉ établit la liste officielle des mots français dans le premier dictionnaire (paru en 1694). Les règles grammaticales sont précisées. La langue française est normalisée. Malherbe (1555-1628) et Vaugelas (1585-1650) jouent un rôle important dans cette entreprise.

☐ En littérature, on se soucie de différencier les registres de langue au nom de la bienséance et de définir les genres (farces, drames, tragédies, comédies ; roman et nouvelle).

Le culte des Anciens

☐ À la suite des écrivains de la Renaissance, un véritable culte est voué aux Anciens : ils ont atteint la perfection, la durée de leur renommée le prouve. On reprend, dans les tragédies, des sujets tirés de la mythologie ou de l'histoire romaine. Dans ses comédies, Molière s'inspire souvent de Plaute.

☐ Les règles classiques, établies d'après Aristote et Horace, s'imposent comme des vérités éternelles.

Quelle relation à la réalité ?

☐ Suivant les principes d'Aristote, tous les écrivains classiques veulent instruire. Or, pour instruire, il faut être vrai. Le classicisme s'attache à traduire la complexité de la vie psychologique et analyse sans complaisance les comportements des hommes. Les règles théâtrales (unité de temps, de lieu, d'action) sont imposées au nom de la vraisemblance.

☐ Mais pour instruire, il faut aussi plaire et frapper les esprits. Le style est élégant et la réalité stylisée, c'est-à-dire simplifiée et amplifiée. Ces deux tendances contradictoires s'expliquent selon l'idée que la conformité à la réalité n'est pas un but mais un moyen.

Les querelles littéraires

La critique littéraire officielle juge la valeur d'une œuvre d'après le respect des principes théoriques. Dans certains cas, le jugement est facile (respect ou non de règles formelles). D'autres fois, l'appréciattion suscite des débats : quelles sont les limites de la bienséance ? Tout écart donne naissance à de véritables querelles : la querelle du *Cid* (1637) et la querelle des Anciens et des Modernes (1676-1714) en sont les plus célèbres.

LA QUERELLE DES ANCIENS ET DES MODERNES

■ Son origine

De 1653 à 1674, une querelle porte sur l'emploi du merveilleux en littérature. Le parti dit des « Modernes » soutient l'idée que le merveilleux doit devenir chrétien et délaisser la mythologie ; ils s'opposent aux « Anciens ». La querelle va s'amplifier sur d'autres sujets.

■ Les partis en présence

Les Anciens (Boileau, La Fontaine, La Bruyère) défendent la grande idée qui sous-tend toute la théorie classique : le passé renferme l'âge d'or ; il faut revenir aux sources. La vérité et la perfection se trouvent dans le passé biblique et dans l'Antiquité.

Les Modernes (Thomas Corneille, Perrault) pensent que l'humanité est en progrès perpétuel : l'époque moderne a profité des leçons des âges qui l'ont précédée et les a enrichies de ses propres découvertes.

Les Conciliateurs (Saint-Évremond, Fénelon, Fontenelle) adoptent une position intermédiaire : la littérature antique doit être considérée comme une grande étape dans le devenir humain mais non comme une valeur absolue.

■ Les principaux épisodes

1676-1677 : l'affaire des inscriptions, débat sur le choix de la langue française pour les inscriptions sur les monuments officiels.

1687 : Perrault écrit un poème à la gloire de Louis XIV ; son règne est supérieur à la lointaine et primitive Antiquité. Boileau et ses amis s'enflamment ; la bataille se déchaîne.

1697 : réconciliation, mais l'avantage est aux Modernes.

1713-1714 : dernier épisode avec la querelle homérique. Homère était-il vraiment un génie ?

■ Conséquence de la querelle

Le public ne considère plus l'Antiquité avec la même ferveur ; l'esprit critique l'a gagné. La doctrine classique est ébranlée.

■ Boileau (1636-1711), défenseur du classicisme

Boileau, d'abord écrivain satirique et comique, n'est devenu théoricien du classicisme que dans ses derniers écrits. *L'Art poétique* (1674), inspiré du poète latin Horace, révèle les grandes lignes de la pensée classique :
— la poésie est le plus noble des genres littéraires (*L'Art poétique* est en vers) ;
— elle nécessite une haute élévation morale et un travail rigoureux ;
— aussi s'accompagne-t-elle d'une discipline d'ascèse ;
— la sensibilité doit être guidée par la raison pour atteindre au sommet de la vérité et de la beauté.

Les réflexions les plus célèbres de Boileau

— « Ce que l'on conçoit bien s'énonce clairement / Et les mots pour le dire arrivent aisément. »

— « Vingt fois sur le métier remettez votre ouvrage. / Polissez-le sans cesse et le repolissez ; / Ajoutez quelquefois, et souvent effacez. »

— « Aimez qu'on vous conseille et non pas qu'on vous loue. »

— Pour définir les unités de la tragédie : « Qu'en un lieu, qu'en un jour, un seul fait accompli / Tienne jusqu'à la fin le théâtre rempli. »

MOYEN ÂGE

XVIe SIÈCLE

XVIIe SIÈCLE

XVIIIe SIÈCLE

XIXe SIÈCLE

XXe SIÈCLE

Le triomphe de la comédie

Le terme « comédie », qui désignait à l'origine toute forme théâtrale, s'est spécialisé au XVIIe siècle pour se distinguer de la tragédie. La comédie est le genre dramatique qui met en scène les mœurs de la société, avec enjouement et décence, pour illustrer une morale pratique. Molière en est le plus parfait exemple.

▬▬▬ Une crise passagère

□ De 1610 à 1630, sur un ensemble de 164 pièces parues, ne figurent que 11 comédies. La comédie en effet n'a pas encore de statut précis ; elle se cherche.

□ Il n'existe que des farces au succès populaire qui cultivent les excès (coups, ruses, situations scabreuses) ou des spectacles de cour, aux mises en scène somptueuses, sans portée littéraire ni morale.

▬▬▬ Le renouvellement de la farce

□ Molière pratique la farce au début de sa carrière et lui donne ses lettres de noblesse. Il y ajoute le burlesque en jouant sur les changements de ton et en accentuant la bouffonnerie de ses personnages jusqu'à la caricature (il les interprète lui-même sur scène).

□ Il n'a de cesse, même dans ses comédies les plus fines, d'introduire des procédés farcesques : dans *Dom Juan* (1665), il inscrit une poursuite entre Pierrot et Dom Juan, fait tomber Sganarelle sur scène à l'image de son raisonnement qui ne tient pas debout...

□ Le rire de la farce, même s'il masque la gravité des problèmes, prend parti contre le vice et suscite la réflexion.

▬▬▬ La vérité des êtres

□ Pour Molière, la comédie doit s'attacher à la représentation exacte de la nature ; avec le temps, il accorde de plus en plus d'importance à la peinture des mœurs et des caractères. Il juge donc inutile de s'appesantir sur la recherche d'un sujet original et puise dans le répertoire de ses prédécesseurs (Plaute, Rotrou, Régnier, Scarron...).

□ En revanche, il concentre toute son attention sur les travers et les ridicules de son temps qui manifestent les défauts permanents des hommes. Les exagérations, en marquant l'esprit des spectateurs, ont fait entrer les plus grands personnages de ses comédies dans le langage courant : tartuffe est synonyme de bigot hypocrite, dom juan de séducteur libertin.

□ Pourtant Molière a su également jouer sur les nuances (les servantes sont toutes différentes), et donner à ses héros une certaine complexité psychologique : Harpagon l'avare est aussi amoureux, Tartuffe l'hypocrite est aussi sensuel, Dom Juan le libertin peut être généreux... Les personnages sont ainsi animés d'une vie personnelle.

MOLIÈRE :
le spectacle de la vie

Jean-Baptiste Poquelin
Pseudonyme : Molière
(à partir de 1644)
Né en 1622 à Paris
Mort en 1673 à Paris, après
une représentation du *Malade
imaginaire* qu'il jouait
Métiers : Acteur, metteur en scène,
directeur de troupe, auteur dramatique.
Amours : Madeleine Béjart (sa maîtresse
à partir de 1643) ; Armande Béjart, sœur
de Madeleine (de vingt ans plus jeune
que lui) qu'il épouse en 1662.
Maladie : phtisie.
Lieux de représentation : 1643-1645 :
Paris ; 1645-1659 : tournées en province ;
à partir de 1661, scène du Palais-Royal
(Paris).
Collaboration musicale : Jean-Baptiste
Lulli, Marc-Antoine Charpentier.

■ Plus de trente comédies

Les farces : *Les Précieuses ridicules*
(1659) ; *Le Médecin malgré lui* (1666) ;
George Dandin (1668) ; *Les Fourberies
de Scapin* (1671).
Les divertissements royaux sont des
pièces à grand spectacle avec dialogue,
chant, danse, musique. Le mélange de
ces arts se fait plus harmonieux d'une
pièce à l'autre. *Les Fâcheux* (1661) ;
Monsieur de Pourceaugnac (1669) ; *Le
Bourgeois gentilhomme* (1670) ; *Le
Malade imaginaire* (1673).
Les grandes comédies sont au nombre
de quatre. Molière, sans renoncer au
comique, aborde les problèmes fonda-
mentaux de la société de son temps.
Devant la violence des réactions, il
renonce à cette inspiration qui lui avait
permis d'atteindre les sommets de la
grande comédie. *L'École des femmes*
(1662) ; *Dom Juan* (1665) ; *Le Misan-
thrope* (1666) ; *Tartuffe ou l'imposteur*
(1664).

■ Les procédés comiques

Le comique de Molière joue sur la
variété :
— procédés farcesques : coups de bâton, soufflets, grimaces, cérémonies burlesques (Monsieur Jourdain sacré mama-
mouchi...) ;
— comique de mots : calembours, pas-
sages du coq à l'âne, répétitions systé-
matiques, interruptions régulières... ;
— comique de situation : déguisements,
personnages cachés...

■ La morale est-elle sauve ?

— Certaines pièces suscitent une vive
réaction du parti dévot qui dénonce les
attaques contre l'Église *(Tarfuffe)* et les
personnages scandaleux *(Dom Juan)*.
Molière ne condamne pas les principes
religieux mais le fanatisme. Chacun
reçoit un châtiment à la mesure de sa
faute.
— L'œuvre de Molière prône le maintien
de l'ordre établi. La raison qui l'emporte
toujours demande de
respecter la condition
originelle : le bour-
geois, même enrichi,
reste un bourgeois ;
jamais un valet ne
sort de sa condition.

La Comédie-Française

La troupe de Molière s'installe au
Palais-Royal en 1661. La troupe du
Marais fusionne avec elle en 1673, puis
c'est au tour de celle de l'Hôtel de
Bourgogne en 1680. L'ensemble
constitue alors La Comédie-Française.

MOYEN ÂGE
XVIᵉ SIÈCLE
XVIIᵉ SIÈCLE
XVIIIᵉ SIÈCLE
XIXᵉ SIÈCLE
XXᵉ SIÈCLE

La tragédie classique

Au milieu du siècle, l'esprit classique développe la tragédie, et peu à peu s'imposent les sujets de l'histoire romaine et de la mythologie grecque. Une floraison d'auteurs écrivent des tragédies centrées sur des débats politiques ou moraux. Avec Racine naît une tragédie nouvelle, méditation sur la condition humaine.

▆▆▆ Un sujet unique : la passion fatale

☐ Même dans les pièces politiques (*Iphigénie* et *Bérénice*), Racine ne s'intéresse pas aux qualités du prince idéal. Il ne traite que de la passion, ambition ou amour. Au siècle de la raison, la violence irrationnelle de la passion exerce une véritable fascination.

☐ Chez Racine, comme chez Corneille, la passion entre en conflit avec la raison ; mais chez Racine, la raison est vaincue. Pour échapper à la souffrance d'une passion insatisfaite, le héros vise la destruction de l'objet aimé puis la sienne (Hermione, Phèdre). L'envahissement de la passion dépasse le drame sentimental : il manifeste la faiblesse de la nature humaine.

▆▆▆ Tension tragique et pression psychologique

☐ Les règles du théâtre tragique réduisent quasiment l'action, comme dans un salon, à une conversation. L'art de Racine consiste, en utilisant toutes les ressources du discours et de l'analyse des sentiments, à créer une tension émotionnelle renouvelée mais constante.

☐ Les protagonistes entre eux sont en lutte permanente ; ils cherchent à vaincre leurs adversaires par tous les moyens : chantage, humiliation, séduction, appel à la pitié. Les héros, hésitants face à la décision, luttent aussi contre eux-mêmes.

☐ La tension est également maintenue par l'auteur sur le spectateur par la progression dramatique qui conduit inéluctablement au dénouement tragique. Dès le début de la tragédie, les personnages sont habités de passions violentes. Dans l'acte I, un événement extérieur provoque une série de réactions qui s'enchaînent selon la logique des sentiments. La progression fait pressentir le dénouement tragique mais, vers l'acte IV, survient un moment d'hésitation qui permet l'espoir. Au dernier acte, les passions furieuses reprennent leur marche et provoquent le dénouement final.

▆▆▆ Un génie dans les règles

☐ Pas d'innovation formelle dans l'écriture de Racine. Il respecte les règles de la bienséance : pas d'associations inattendues entre adjectifs et substantifs, ni entre verbes et compléments. Le vocabulaire se limite même à 2 000 mots. L'alexandrin est régulier, les procédés poétiques sont classiques.

☐ Le génie de Racine réside dans son exceptionnelle maîtrise du langage : il sait parfaitement adapter la forme au contenu en donnant une valeur pathétique aux tournures les plus simples traduisant ainsi la faiblesse humaine.

RACINE :
le destin de la passion

Jean Racine
Né en 1639 en Champagne
Mort en 1699 à Paris

Famille : orphelin à 3 ans ; sa grand-mère maternelle l'emmène avec elle à Port-Royal où il suit les leçons des jansénistes.

Métier : historiographe du roi avec Boileau à partir de 1677.

Amours : avec des comédiennes (Mlle du Parc, Mlle Champmeslé) ; mariage en 1677, à 38 ans, avec Catherine de Romanet.

Enfants : sept, parmi lesquels quatre filles entrent au couvent.

Signe particulier : de 1664 à 1677, se sépare provisoirement des jansénistes en raison de leurs vives critiques contre le théâtre.

■ Les tragédies antiques

Racine est l'auteur de onze tragédies.

Les tragédies grecques reprennent des mythes antiques. Racine retrouve le secret de l'émotion des Anciens : la représentation de l'homme accablé par son destin.

Andromaque (1667) : la pièce fascine le public par sa nouveauté : une mécanique inévitable de la cruauté de la passion conduit au dénouement tragique.

Iphigénie (1674) : Agamemnon est déchiré entre l'amour pour sa fille et son désir de gloire. Le drame de la jeune Iphigénie, qui doit être sacrifiée, fit pleurer toute la cour et le public parisien.

Phèdre (1677) : le personnage de Phèdre, liée à Hippolyte par une passion tyrannique, fut jugé scandaleux.

Les tragédies romaines, par leur sujet, font une concurrence directe à Corneille.

Britannicus (1669), peinture du jeune Néron devenu un vrai monstre.

Bérénice (1670) : les coutumes romaines interdisent à Titus d'épouser la reine Bérénice. La même année, la troupe de Molière monte *Tite et Bérénice* de Corneille : dure concurrence entre les auteurs et les troupes dont Racine sortit vainqueur.

■ Autres tragédies

Une tragédie exotique : *Bajazet* (1672) se déroule à huis-clos dans le cadre fermé du sérail.

Les tragédies tirées de l'Écriture sainte : après une longue interruption, Racine revient au théâtre sur la demande de Mme de Maintenon, pour écrire des œuvres édifiantes pour les jeunes filles de la maison religieuse de Saint-Cyr : *Esther* (1689) et *Athalie* (1691).

Théâtre de l'hôtel de Bourgogne au XVIIe siècle.

Les vers les plus célèbres

— « Brûlé de plus de feux que je n'en allumai » (Pyrrhus dans *Andromaque*).

— « Pour qui sont ces serpents qui sifflent sur vos têtes ? » (Oreste dans *Andromaque*).

— « J'embrasse mon rival, mais c'est pour l'étouffer » (Néron dans *Britannicus*).

— « Le jour n'est pas plus pur que le fond de mon cœur » (Hippolyte dans *Phèdre*).

| MOYEN ÂGE |
| XVIᵉ SIÈCLE |
| **XVIIᵉ SIÈCLE** |
| XVIIIᵉ SIÈCLE |
| XIXᵉ SIÈCLE |
| XXᵉ SIÈCLE |

Les genres mondains

Mme de Sévigné (1626-1696), La Rochefoucauld (1613-1680), La Fontaine (1621-1695), le cardinal de Retz (1613-1679) pratiquent des genres nouveaux nés de la vie mondaine. Plus souples que les genres classiques, ils incarnent le bel esprit : leur but est de briller mais ils contiennent aussi toute une méditation sur l'homme.

Des genres sans prétention

□ À l'origine, la maxime était un jeu mondain par lequel on se divertissait en inventant de belles « sentences » ou « réflexions morales ». La Rochefoucauld prit goût au jeu et écrivit pendant vingt ans des maximes.

□ Mme de Sévigné savait que certaines de ses lettres seraient lues en public, mais jamais elle n'imagina qu'elles seraient publiées. Quant au cardinal de Retz, il ne destinait pas non plus ses *Mémoires* à la publication : il y présentait une justification de sa vie destinée à une mystérieuse interlocutrice.

□ Ces genres n'ont pas été repris ; ils sont l'expression d'une époque qui prône l'idéal de l'honnête homme parfaitement sociable (aimable, discret, ouvert, soucieux de ne pas ennuyer) ; pourtant, la liberté et la souplesse de ces genres annoncent déjà une prose plus moderne.

Variété et classicisme

□ Ces genres présentent des formes variées et contrastées qui peuvent rappeler le baroque : variété de ton entre les lettres de Mme de Sévigné mais aussi à l'intérieur de certaines lettres ; ton oratoire ou intime, chronique mondaine ou impressions personnelles. Le but est de plaire : comment espérer que sa fille lise les mille lettres qu'elle lui a écrites si elle ne capte son attention en variant les genres et en cherchant les anecdotes amusantes ? Certains écrivains sont eux-mêmes d'une nature inconstante : La Fontaine essaye tous les genres : « Diversité, c'est ma devise. »

□ C'est pourtant l'esprit classique qui domine l'ensemble ; la spontanéité même garde de la discrétion et de la distinction : expression ramassée et concise, formulations générales, sentiments lyriques contenus.

Morale et moralistes

□ Les *Fables* de La Fontaine sont introduites ou conclues par une « morale » ; La Rochefoucauld était un « moraliste ». Ces mots n'ont pas le même sens qu'aujourd'hui : ils ne définissent pas une règle de conduite conforme au Bien mais présentent l'étude des comportements et des mœurs. La Rochefoucauld fait apparaître les vrais ressorts de la conduite des hommes : amour propre, « humeurs » (tempérament), « fortune » (hasard). Tout le reste n'est que mascarade, mensonge et mystification.

□ Outre ces analyses impitoyables, apparaît toute une méditation sur la condition humaine et sur la mort, notamment chez La Fontaine et Mme de Sévigné chez qui le ton devient lyrique.

LA FONTAINE :
un divertissement instructif

Jean de La Fontaine
Né en 1621 à Château-Thierry
en Champagne
Mort en 1695 à Paris

Mariage : Marie Héricard (elle a 14 ans) ;
séparation en 1659.
Charges : maître des eaux et forêts
(jusqu'en 1671).
Protecteurs : Fouquet, surintendant des
Finances, jusqu'en 1661 ; la duchesse
douairière d'Orléans, jusqu'en 1669 ; la
marquise de La Sablière ; Mme de
Montespan.
Disgrâce : après l'arrestation de Fouquet
et accusation d'usurpation de noblesse.

Dauphin, élève de Bossuet ; le troisième
au duc de Bourgogne (12 ans), élève de
Fénelon ; seul le deuxième volume, plus
philosophique, fut dédié à Mme de Montespan.
L'organisation : La Fontaine varie les
formes d'une fable à l'autre (conte, récit
allégorique, méditation philosophique,
petite pièce de théâtre). Il fait aussi alterner les grands thèmes de son œuvre : la
vie sociale, les rapports de l'homme et du
pouvoir, le bonheur, la mort.

■ L'œuvre de La Fontaine
Le Songe de Vaux (1659), œuvre de cir-
constance en vers et en prose qui célè-
bre le château de Vaux.
Élégie aux nymphes de Vaux (1661), sup-
plique au roi pour Fouquet.
Contes et nouvelles en vers (1664-1675) :
grand succès pour le premier recueil ; le
second, licencieux, est interdit à la vente.
Fables (1668-1694) : grand succès.
Les Amours de Psyché et de Cupidon
(1669) : roman en prose mêlée de vers.
Daphné (1674) : opéra.
Astrée (1691) : tragédie lyrique.

■ Les *Fables*
242 fables réparties en douze livres et
publiées en trois recueils.
Les sources d'inspiration : La Fontaine
a repris un genre fort ancien ; il s'inspire
d'Ésope, écrivain grec du VIe siècle avant
J.-C., de Phèdre, fabuliste latin du Ier siècle avant J.-C. Plusieurs fables tirent
aussi leur thème de contes orientaux.
Les lecteurs : à l'origine, les *Fables*
s'adressaient à des enfants. Le premier
recueil des *Fables* était destiné au jeune

Le Pot de terre et le Pot de fer.

Les morales les plus célèbres
La Cigale et la Fourmi : « Vous
chantiez ? j'en suis fort aise/ Eh bien !
dansez maintenant. »
Le Corbeau et le Renard : « Apprenez
que tout flatteur/ Vit aux dépens de
celui qui l'écoute. »
Le Loup et l'Agneau : « La raison du
plus fort est toujours la meilleure. »
Le Chêne et le Roseau : « Je plie, et ne
romps pas. »
Le Lion et le Rat : « Patience et
longueur de temps/ Font plus que force
ni que rage. »
Le Renard et le Bouc : « En toute chose
il faut considérer la fin. »
Le Lièvre et la Tortue : « Rien ne sert de
courir, il faut partir à point. »

MOYEN ÂGE

XVIe SIÈCLE

XVIIe SIÈCLE

XVIIIe SIÈCLE

XIXe SIÈCLE

XXe SIÈCLE

Le roman classique

À partir de 1660, le goût classique est choqué par le roman baroque aux actions compliquées et aux rebondissements multiples. Il privilégie, au contraire, les formes précises et dépouillées (maximes, tragédies...). Mme de La Fayette, Guilleragues et Saint-Réal écrivent des nouvelles ou des romans courts.

Rupture et continuité

☐ Le roman classique refuse le foisonnement baroque. Comme dans le théâtre, il recherche l'unité d'action : disparition des intrigues secondaires, limitation du nombre des personnages. Guilleragues atteint un point de simplification extrême : l'action se déroule dans un lieu unique et dépouillé (couvent), il compte un personnage unique (la religieuse).

☐ *La Princesse de Clèves* reprend pourtant plusieurs éléments baroques ou précieux indispensables pour recréer l'atmosphère de la vie mondaine : récits secondaires en marge de l'action, importance accordée à certains objets (portraits, rubans).

Des romans réalistes ?

☐ Les romans classiques rejettent les fantaisies de l'imagination et prennent le réel pour modèle. Beaucoup d'écrivains puisent leurs sujets dans l'histoire récente des Valois et des Bourbons. Pourtant les détails ne sont pas d'une exactitude scrupuleuse (anachronismes, idéalisation). La vérité historique n'est qu'un moyen. Le but est d'instruire par une analyse des hommes et de la société.

☐ Les romans sont réalistes par l'analyse psychologique. Mme de La Fayette décrit abondamment la vie intérieure de ses personnages. Chez Guilleragues, les mouvements de la vie psychologique sont particulièrement bien rendus par le long monologue de la religieuse, tantôt rempli d'espoir, tantôt désespéré. Ses contemporains ont cru qu'il s'agissait effectivement de la traduction des lettres d'une religieuse portugaise.

☐ Par ailleurs, la vie sociale est peinte sans complaisance : les hommes ne recherchent que leur propre intérêt. L'amour durable est impossible ; tout n'est qu'apparence et mensonge.

La nouvelle place du narrateur

☐ Avec le développement de l'analyse psychologique, le narrateur tantôt entre dans la vie intérieure des personnages et fait part de leur évolution, tantôt s'efface devant un monologue ou un dialogue. Le point de vue n'est pas statique mais évolue de l'extérieur à l'intérieur, de la vérité générale au point de vue particulier. C'est par ce va-et-vient que le narrateur peint la subjectivité en soutenant l'intérêt du lecteur.

☐ Guilleragues explore une voie nouvelle : le roman par lettres. Il n'y a plus de narrateur extérieur, le point de vue est toujours subjectif : l'extérieur s'efface pour révéler le secret d'une vie.

Mme de La Fayette
Née en 1634 à Paris
Morte en 1693

Gabriel de Lavergne de Guilleragues
Né en 1628 à Bordeaux
Mort en 1685 à Constantinople

Mariage : épouse en 1655 (à 21 ans) le comte de La Fayette (39 ans).
Amitiés : Mme de Sévigné, La Rochefoucauld, Henriette d'Angleterre.
Vie mondaine : fréquente l'hôtel de Rambouillet ; ouvre un salon dans sa maison, rue de Vaugirard ; se retire après la mort de La Rochefoucauld (1680) et celle de son mari (1683).

Amitiés : Racine, Boileau, Mme de Sévigné et Mme de Maintenon.
Vie politique : il est attaché au prince de Conti qu'il accompagne en province de 1651 à 1666. Puis il vient à Paris et devient un homme en vue à la cour. En 1678, il obtient une ambassade à Constantinople.
Vie littéraire : il dirige *La Gazette*, le premier journal français.

■ *La Princesse de Clèves* (1678)

Dans ce court roman se mêlent personnages historiques et fictifs. Mlle de Chartres épouse M. de Clèves et, lors d'un bal, rencontre M. de Nemours dont elle tombe amoureuse ; elle lutte contre sa passion pour rester fidèle mais bientôt, ayant peur de succomber, elle avoue son amour pour un autre à son mari qui en meurt de chagrin. En mémoire de son mari et par peur d'être déçue, Mme de Clèves repousse définitivement M. de Nemours. Le roman mêle différentes techniques romanesques. Dans la première partie, les histoires qu'on raconte à la cour occupent une place importante, selon la mode baroque des digressions. Mais ces histoires servent aussi à l'éducation de Mme de Clèves ; elle y découvre la force de la passion, dégradante et aliénante.

■ *Lettres d'une religieuse portugaise* (1669)

Ces lettres sont censées avoir été écrites par une religieuse portugaise, séduite puis abandonnée. Elles sont adressées à un officier français.

L'ensemble est extrêmement dépouillé ; pas d'intrigue ni de péripéties mais seulement les menus événements d'une vie cloîtrée et les troubles d'une âme passionnée.

Le premier roman épistolaire en France définit un genre nouveau : toute l'action apparaît à travers les lettres que s'échangent des personnages unis par des relations sentimentales.

Un bal à la cour des Valois.

MOYEN ÂGE

XVIᵉ SIÈCLE

XVIIᵉ SIÈCLE

XVIIIᵉ SIÈCLE

XIXᵉ SIÈCLE

XXᵉ SIÈCLE

Les voix de la contestation

Après 1680, devant les difficultés économiques, le durcissement du régime monarchique et la mainmise du parti dévot, des protestations se font entendre. Elles prolongent le mouvement des libertins du début du siècle et annoncent les philosophes du XVIIIᵉ siècle.

▄▄▄▄ Étude de mœurs et contestation sociale

☐ La Bruyère pratique un genre proche des *Pensées* de Pascal ou des *Maximes* de La Rochefoucauld ; il peint des *Caractères* dans des propositions de longueurs inégales. L'œuvre s'inscrit au nombre des petits genres mondains et s'adresse à un public choisi. L'analyse des comportements et des mœurs y occupe une place importante ; le ton est acerbe.

☐ Par ailleurs les difficultés économiques, les très sanglantes défaites militaires et l'installation d'une monarchie constitutionnelle en Angleterre favorisent une remise en cause de l'ordre social et politique ; les problèmes du siècle apparaissent dans la littérature classique, vouée jusqu'alors à l'homme éternel. Les moralistes jouèrent un rôle important dans cette mutation.

▄▄▄▄ L'envers du décor

☐ Avec La Fontaine déjà, mais plus encore avec La Bruyère, le cardinal de Retz, Fénelon et Saint-Simon, sont dénoncées les mesquineries du règne du Roi-Soleil : la véritable grandeur est absente de la cour ; chacun recherche son intérêt personnel, la noblesse s'abaisse aux intrigues, la bourgeoisie enrichie reste grossière. Le roi lui-même encourage les flatteries hypocrites, dépense sans mesure et engage des batailles pour son plaisir. Il oublie qu'il ne doit pas se soucier d'abord de sa grandeur personnelle mais du bien de ses sujets. L'austérité religieuse est, elle aussi, critiquée. Souvent hypocrite, elle masque une profonde intolérance.

☐ Les revendications politiques, souvent prudentes, oscillent entre un changement d'attitude et un changement de régime. De plus, La Bruyère réclame plus de justice pour le peuple, notamment pour les paysans qui font vivre la nation et n'ont pas de quoi se nourrir.

▄▄▄▄ La réaction du pouvoir

☐ La critique du pouvoir se fait de manière indirecte, à travers des formules générales ou des ouvrages pédagogiques à l'usage des jeunes princes *(Télémaque)*. Les écrivains redoutent tout de même les réactions : la première publication des *Caractères* est anonyme. Seuls quelques membres de l'Église (Bossuet et Massillon) osent s'adresser directement au roi.

☐ Les publications ne sont pas interdites, mais *Télémaque* provoque le mécontentement et renforce la disgrâce où ses idées quiétistes avaient déjà jeté Fénelon. Saint-Simon n'essaye même pas de diffuser son œuvre. Quelques extraits sont publiés en 1781, mais la première édition sérieuse date de 1829.

LA BRUYÈRE et FÉNELON :
deux contestataires prudents

Jean de La Bruyère
Né en 1645 à Paris
Mort en 1696 à Versailles

François de Salignac de La Mothe Fénelon
Né en 1651 au château de Salignac (Périgord)
Mort en 1715 à Cambrai

Itinéraire : droit (licence en 1665) ; trésorier des finances à Caen (1673-1686) ; précepteur du petit-fils du Grand Condé (1684-1686) ; bibliothécaire et gentilhomme ordinaire du Duc.
Querelles : il prend parti pour les Anciens dans la querelle des Anciens et des Modernes. Il soutient Bossuet dans sa lutte contre le quiétisme.

Carrière ecclésiastique : prêtre (1675) ; archevêque de Cambrai (1695), il convertit des protestants après la révocation de l'édit de Nantes.
Métier : précepteur du duc de Bourgogne, petit-fils de Louis XIV.
Conversion : sous l'influence de Mme Guyon, Fénelon adhère au quiétisme.

■ Les *Caractères* (1688)

Les *Caractères* se présentent sous la forme de seize chapitres : *Des ouvrages de l'esprit, Des femmes, De la société et de la conversation, Des biens de fortune, Du souverain, De la mode, Des esprits forts...* La Bruyère fait apparaître les principaux traits qui empêchent une vie sociale harmonieuse et équilibrée. Il peint des personnages types comme Théodecte, le bavard abusif, Gnathon, le goinfre, Ménalque, le distrait, Diphile, le collectionneur. L'excès est leur caractéristique commune qui les rend ridicules.

Le règne de l'apparence fausse tous les rapports : derrière les propos didactiques se cache une véritable ignorance, derrière une dévotion démonstrative se dissimule une pensée libertine ou athée, derrière la satisfaction s'abrite la faiblesse intérieure.

La Bruyère dénonce aussi les injustices, les comportements scandaleux des fermiers généraux, l'inégalité entre d'immenses fortunes et la misère noire, l'attitude anormale d'un monarque plus soucieux de sa gloire que des besoins réels du royaume.

■ *Télémaque* (1699)

Fénelon écrit *Télémaque* à l'intention du duc de Bourgogne en vue de son instruction et de son édification. Après l'évocation littéraire d'Homère et de Virgile, nécessaire à toute culture classique, il l'engage à choisir une conduite morale irréprochable et lui donne un plan d'action politique pour le jour où il aura le pouvoir.

Derrière cet ouvrage moral et pédagogique se cache une pensée hardie. Le roi Louis XIV peut se reconnaître dans la dénonciation des tyrans antiques qui ont le goût du luxe et de la guerre. La cité idéale imaginée par Mentor est l'inverse de la monarchie absolue. Fénelon annonce les philosophes du XVIIIe siècle.

Citation de *Télémaque* sur le métier de roi

« À force de tout pouvoir, les rois sapent les fondements de leur puissance ; ils n'ont plus de règle certaine ni de maximes de gouvernement. Chacun à l'envi les flatte ; ils n'ont plus de peuple ; il ne leur reste que des esclaves, dont le nombre diminue chaque jour. »

MOYEN ÂGE

XVIᵉ SIÈCLE

XVIIᵉ SIÈCLE

XVIIIᵉ SIÈCLE

XIXᵉ SIÈCLE

XXᵉ SIÈCLE

Le XVIIIᵉ siècle

▇▇▇▇ Dégradation du climat politique et social

☐ Les souverains du XVIIIᵉ siècle laissent dégénérer un état de crise latent. De fait, la perte de l'Inde et du Canada et la suprématie grandissante de l'Angleterre et de la Prusse font décroître la confiance des Français pour leur roi.

☐ Le contexte social se dégrade aussi. La noblesse défend farouchement ses privilèges en dépit des efforts des ministres « éclairés » de Louis XVI, Turgot et Necker. Les paysans ne supportent plus les impôts prélevés par le roi, le clergé et la noblesse.

☐ Seule la bourgeoisie connaît un accroissement et un enrichissement considérables en raison du développement économique et démographique. Ces disparités suscitent la révolte des défavorisés contre les inégalités qui éclatera à la Révolution.

▇▇▇▇ Le développement des idées

☐ L'essor économique et la dégradation du paysage social poussent la réflexion dans deux voies : d'une part la confiance dans la raison et le progrès, et d'autre part la recherche d'une société plus juste. Le siècle des Lumières est une métaphore choisie par les philosophes européens pour montrer la victoire de la raison dans les sciences et la philosophie.

☐ L'éveil d'une pensée cosmopolite les conduit à comparer les systèmes politiques en place et à trouver un idéal de paix, de civilisation, de tolérance et de liberté.

▇▇▇▇ Les salons, les cafés et les mœurs

☐ À la mort de Louis XIV se fait jour un courant de frivolité en réaction contre la rigueur janséniste et l'austérité de la cour instaurées par Mme de Maintenon. Les passions et les instincts sont réhabilités, apparaît un goût nouveau pour le raffinement et la richesse.

☐ Les hommes de lettres se rencontrent à la cour mais aussi dans des clubs comme celui de l'Entresol, des cafés publics ou privés où l'on discute d'actualité, comme le café Procope. La duchesse du Maine, Mme du Deffand, Julie de Lespinasse et Mme de Tencin développent dans leurs salons le goût de la conversation brillante et des jeux d'esprit.

▇▇▇▇ Une sensibilité préromantique

Vers le milieu du siècle, le rationalisme cède la place à de nouvelles sensibilités. Les œuvres de Richardson et de Goethe, largement diffusées, développent le goût pour les émotions fortes et les mystères. Cet état d'âme trouvera sa pleine expression dans le mouvement romantique au siècle suivant.

XVIIIe siècle   LES FAITS MARQUANTS

Règnes	Vie politique	Littérature française	Les arts en France
Régence de Philippe d'Orléans 1715-1723	1716 — Système de Law 1721 — Peste à Marseille	1721 — Montesquieu : *Lettres persanes* 1722 — Marivaux : *la Surprise de l'Amour*	1720 — Watteau : *l'Enseigne de Gersaint*
Louis XV 1715-1774	1733-35 — Guerre de succession de Pologne Paix de Vienne 1740-86 — Frédéric II, roi de Prusse 1741-48 — Guerre de succession d'Autriche 1755 — Désastre de Lisbonne 1756-1763 — Guerre de Sept Ans 1763 — Condamnation des francs-maçons ; expulsion des Jésuites	1730 — Marivaux : *le Jeu de l'Amour et du hasard* 1731 — Abbé Prévost : *Manon Lescaut* 1734 — Voltaire : *Lettres philosophiques* 1739-1749 — Saint-Simon : *Mémoires* 1748 — Montesquieu : *l'Esprit des lois* 1748 — Voltaire : *Zadig* 1750-1772 — *l'Encyclopédie* 1759 — Voltaire : *Candide* 1761 — Rousseau : *la Nouvelle Héloïse* 1762 — Rousseau : *Du contrat social*	1733-49 — Rameau : opéras 1735 — Lancret : *le déjeuner* 1740 — Bowcher : *le Triomphe de Vénus* Chardin : *le Benedicité* 1742 — la Tour : *Portraits* 1755 — la Fontaine : *les fables* illustrées par Oudry 1761 — Greuze : *l'Accordée de village* 1762-70 — Gabriel : la Place royale (Concorde) 1764 — Soufflot : Église Sainte-Geneviève (le Panthéon) v. 1765 — Falconet et Lemoyne : sculptures
Louis XVI 1774-1791	1776 — Indépendance des États-Unis 1783 — Traité de Versailles 1788 — États généraux 1789 — Révolution 1790 — Création des 83 départements 1792 — Calendrier républicain	1762-1777 — Diderot : *le Neveu de Rameau* 1775 — Beaumarchais : *le Barbier de Séville* 1782 — Laclos : *les Liaisons dangereuses* 1782-1789 — Rousseau : *les Confessions* 1784 — Beaumarchais : *le Mariage de Figaro* 1788 — Bernardin de Saint-Pierre : *Paul et Virginie*	1775 — Fragonard : *la Fête à Saint-Cloud* 1779 — Houdon : *Rousseau* 1786 — David : *le Serment des Horaces* 1787 — Vigée-Lebrun : *la Reine et ses enfants*
Directoire 1795-1799			

MOYEN ÂGE

XVIᵉ SIÈCLE

XVIIᵉ SIÈCLE

XVIIIᵉ SIÈCLE

XIXᵉ SIÈCLE

XXᵉ SIÈCLE

La naissance de la philosophie

La philosophie naît de la lutte contre les préjugés ; les penseurs rationalistes du XVIIIᵉ siècle se livrent à une analyse critique de la condition et de la nature humaines.

■■■■ Une philosophie venue de l'étranger

☐ Les philosophes français du début du XVIIIᵉ puisent l'essentiel de leur pensée politique dans les œuvres des maîtres à penser allemands (Leibniz), anglais (Locke) et hollandais (Spinoza).

☐ Selon Spinoza dans le *Traité théologico-politique*, le raisonnement philosophique doit s'abstraire de toute considération religieuse pour acquérir son indépendance. Cette liberté de pensée doit être à tout prix préservée par un système démocratique.

☐ Locke, dans l'*Essai sur l'entendement humain*, démontre que seules l'observation et l'expérience fondent la connaissance. Ce faisant, il s'attaque implicitement à la foi et aux croyances. Bayle et Fontenelle reprendront ces théories pour définir l'esprit scientifique et la notion de tolérance, en dissociant morale et religion.

■■■■ L'esprit d'examen et la relativité

☐ Le cartésianisme, hérité du XVIIᵉ siècle, contribue encore à développer le culte de la raison, le goût de l'observation et de l'évidence. Appliqué à tous les domaines, l'esprit d'examen, qui consiste à tout soumettre à l'observation avant de former un jugement, devient systématique.

☐ Les influences étrangères sont un facteur décisif d'élaboration d'un nouveau mode de pensée : l'Angleterre fournit un bon modèle d'esprit critique. La Hollande montre, par le protestantisme, le rôle fondamental de la conscience individuelle. Les voyages des missionnaires et des marchands offrent une leçon de relativité aux penseurs français qui en profitent pour critiquer les mœurs françaises et remettre en cause les idées reçues sur la propriété, la justice, la liberté et la religion.

■■■■ Le recours aux lois naturelles

☐ L'esprit rationaliste ne se contente pas de critiquer mais il propose de nouvelles valeurs fondées sur la morale et la libre pensée et non plus sur la religion.

☐ Les philosophes établissent l'idée de droit naturel : les hommes sont par nature égaux et, pour préserver cette égalité, ils doivent confier leur organisation sociale et politique à un gouvernement éclairé. Il en résulte que l'adversaire le plus redoutable est le fanatisme, c'est-à-dire la confiance aveugle dans ses propres croyances et la volonté de les imposer.

BAYLE et FONTENELLE :
deux précurseurs de l'esprit critique

Pierre Bayle
Né en 1647 à Carlat-Bayle
Mort en 1706 à Rotterdam

Religion : protestant.
Métiers : précepteur, professeur de philosophie et d'histoire, journaliste.
Voyages : Genève (réfugié), Hollande.

Bernard Le Bovier de Fontenelle
Né en 1657 à Rouen
Mort en 1757 à Paris

Amitiés : Thomas Corneille (son oncle), Philippe d'Orléans.
Métiers : Auteur d'opéras, de tragédies, d'essais philosophiques et scientifiques ; secrétaire de l'Académie des sciences.
Signe particulier : vécut centenaire.

■ Un sceptique assoiffé de vérité

Bayle est l'homme le plus représentatif de l'esprit d'examen. Son œuvre exerce une influence décisive sur L'*Encyclopédie*. Il remet en cause les idées établies, les confronte et combat les paradoxes. Dans les *Pensées sur la comète* (1682), il nie les miracles en se fondant sur le primat de l'expérience et de la raison.

Il propose une analyse sociologique très moderne des mécanismes intellectuels qui favorisent la diffusion d'idées fausses et rappelle dans le *Commentaire philosophique* (1687) les droits de la conscience de chacun. *Le Dictionnaire historique* (1695-1697) a pour objet de réfuter les erreurs véhiculées par l'Histoire, au nom du libre exercice de la pensée critique ; Bayle appuie ses thèses sur des témoignages et en profite pour dénoncer par l'ironie les abus de son temps.

■ Un démystificateur

En introduisant le doute sur tous les fondements religieux, Fontenelle trace la voie à l'entreprise voltairienne ; en vulgarisant les théories scientifiques, il prépare la méthode de L'*Encyclopédie*. En 1686, il publie *Les Entretiens sur la pluralité des mondes* qui diffuse dans les milieux mondains le système astronomique de Descartes. Ces entretiens laissent sceptique sur la métaphysique et le merveilleux ; en réfutant la place de l'homme au centre de l'univers, Fontenelle affirme son relativisme.

Dans L'*Histoire des oracles* (1687), il discrédite le bien-fondé des prédictions qu'il considère comme des impostures et démontre que les religions ne sont que des mystifications. Enfin, L'*Origine des fables* (1724) dénonce les croyances superstitieuses et les mécanismes sociologiques qui les ont fait naître.

En 1680, le passage d'une comète avait ravivé les croyances et les superstitions populaires.

MOYEN ÂGE

XVIᵉ SIÈCLE

XVIIᵉ SIÈCLE

XVIIIᵉ SIÈCLE

XIXᵉ SIÈCLE

XXᵉ SIÈCLE

La pensée politique

> Les philosophes du XVIIIᵉ admettent tout régime s'ils en peuvent définir des principes logiques et en justifier les contraintes éventuelles. Ils condamnent seulement l'absolutisme de « droit divin » qui ne donne aucune explication rationnelle à l'autorité.

▬▬▬ La réflexion sur des sociétés réelles

☐ *Les Lettres philosophiques* (1734) de Voltaire offrent un tableau de la liberté qui règne en Angleterre. Voltaire y prouve que la tolérance garantit le bonheur et le progrès d'une société : la liberté religieuse évite le fanatisme ; le régime parlementaire assure la prospérité ; la liberté de pensée permet le progrès culturel.

☐ Montesquieu raisonne aussi sur des sociétés réelles dans *L'Esprit des lois.* Il essaie de découvrir une logique de l'évolution du monde à partir de l'analyse du climat, de la civilisation, des mœurs et de l'économie. Trois principes moraux sont à l'origine de trois régimes politiques singuliers : la crainte qui fait naître le despotisme, l'honneur qui fait respecter la monarchie et la vertu qui conduit à la république.

▬▬▬ L'élaboration des lois

☐ Selon Montesquieu, les sociétés évoluent suivant des constantes morales et socio-économiques qui déterminent des lois indispensables à toute politique. Tout ordre, même imparfait, est toujours préférable au désordre. Il réfléchit sur le rôle et les devoirs de l'État. L'État est un tout qui insuffle un esprit à une nation. Aussi les lois doivent-elles guider les mœurs et les sentiments. Leur élaboration doit se faire progressivement pour éviter une révolution brutale.

☐ Convaincu que le bonheur des peuples est « la seule base de toute bonne législation », Diderot pose un principe démocratique : c'est le contrat passé entre le peuple et son gouvernement qui détermine la forme de l'État et donc le légitime.

☐ *Le Contrat social* de Rousseau propose aussi un pacte, qui consiste à tout considérer selon le bien commun.

▬▬▬ Vers un idéal politique

☐ Le meilleur gouvernement est, pour Montesquieu, une monarchie où les puissances intermédiaires (noblesse, Parlement) assurent un juste équilibre entre le peuple et le roi et garantissent les droits des individus. La politique doit suivre l'évolution sociale.

☐ Ce type de régime, fondé sur la liberté politique, existe en Angleterre : Montesquieu et Voltaire en admirent la Constitution qui maintient la séparation des pouvoirs (exécutif, législatif et judiciaire).

☐ Refusant l'idée que le bonheur puisse être le résultat d'une politique despotique, Diderot propose l'image idéale d'une société libérée où chacun serait maître de soi, et revendique une complète liberté de pensée et d'expression.

MONTESQUIEU :
premier théoricien politique

Charles-Louis de Secondat
baron de Montesquieu
Né en 1689 au château de
La Brède (près de Bordeaux)
Mort en 1755 à Paris

Vie publique : avocat, conseiller au Parlement de Bordeaux.
Voyage : un seul voyage de plusieurs années : Autriche, Hongrie, Prusse, Pays-Bas, Angleterre.
Signe particulier : aveugle à partir de 1742.

■ Les analyses historiques

Dans la *Dissertation sur la politique des Romains dans la religion* (1716), Montesquieu montre que les croyances religieuses de la Rome antique ont été créées par les chefs politiques pour garder le peuple soumis. Il prend encore le prétexte de l'histoire romaine dans les *Considérations sur les causes de la grandeur des Romains et de leur décadence* (1734) pour illustrer l'histoire de toutes les sociétés. Il en déduit une conception déterministe de l'Histoire : la chute d'un État est inévitable s'il n'adapte pas ses institutions à son évolution.

■ Une somme juridique et politique

L'Esprit des lois (rédigé de 1736 à 1748, date de publication) représente le travail de vingt années, récapitulatif d'une existence de voyages, de lectures et d'expériences. Montesquieu y analyse les différentes sortes de gouvernement et leurs conséquences. Il refuse l'absolutisme et la centralisation du pouvoir pour préserver la liberté politique.

■ La théorie des climats

Pour Montesquieu, les sociétés humaines sont des organismes vivants. En se fondant sur des expériences scientifiques (sur le rôle de l'air froid et de l'air chaud sur le cœur et le sang), il montre que les climats froids engendrent plus de vigueur, et tire des qualités morales propres à leurs habitants : plus de courage, moins de désir de vengeance, moins de ruse, plus de franchise et moins de sensibilité à la douleur. Dans les pays chauds au contraire, les peuples sont timides, découragés, plus sensibles au plaisir.
Les usages politiques dépendent alors de certaines contraintes climatiques spécifiques, mais la psychologie humaine peut atténuer ou démentir ces variables ; les échanges commerciaux, les clivages religieux et les invasions peuvent produire des usages différents.

Principales œuvres à caractère politique au XVIIIᵉ siècle

— Voltaire : *Les Lettres philosophiques* (1734).
— Montesquieu : *De l'esprit des lois* (1748).
— Rousseau : *Du contrat social* (1762).
— Sous la direction de Diderot : *L'Encyclopédie,* ou *Dictionnaire raisonné des sciences, des arts et des métiers* (1750-1772).

MOYEN ÂGE
XVIᵉ SIÈCLE
XVIIᵉ SIÈCLE
XVIIIᵉ SIÈCLE
XIXᵉ SIÈCLE
XXᵉ SIÈCLE

Philosophie et réflexion historique

Le domaine de la philosophie s'étend à tous les aspects de l'activité humaine. Les penseurs se livrent à une révision critique des notions fondamentales sur l'homme, s'en remettant à la seule raison.

Le philosophe au XVIIIᵉ siècle

☐ Le philosophe du XVIIIᵉ siècle est un homme pratique : il exerce des activités qui contribuent au développement de la civilisation.

☐ Soucieux avant tout de vérité, il applique son esprit critique à tous les domaines : scientifique, psychologique, politique, religieux et historique. Cet esprit critique se veut avant tout constructif et refuse de s'en tenir à la théorie et à l'abstraction.

L'influence des sciences de la nature

☐ La pensée au XVIIIᵉ siècle est liée aux découvertes biologiques et particulièrement à la reproduction animale. Les savants posent la question des rapports entre Dieu, la nature et l'origine de la vie.

☐ Buffon (1707-1788) dans son *Histoire naturelle* (1749-1789) souligne que tout dans la nature est soumis à des lois et qu'aucune décision divine n'a préexisté à l'ordre du monde.

L'expérience, facteur de progrès

☐ Voltaire insiste sur le rôle essentiel de l'expérience qui rattache les idées aux sensations et permet à la civilisation de progresser. Il s'oppose radicalement aux idées métaphysiques de Descartes et conteste l'espérance mystique de Pascal.

☐ Il élabore sa pensée philosophique sur le modèle des savants anglais, Bacon, Locke et Newton ; ceux-ci pensent améliorer la condition humaine par la science qui détermine des lois naturelles.

☐ Il propose une pratique de l'action fondée sur la raison. Diderot, lui aussi, va fonder toute sa philosophie sur la raison tirée de l'expérience.

Les leçons de l'Histoire

☐ Voltaire inaugure une nouvelle méthode historique fondée sur l'érudition, l'objectivité et la synthèse. Il consulte nombre de documents — des plus connus aux plus insolites — avant d'affirmer son opinion, qu'il veut la plus impartiale possible, et cherche à donner le sentiment de la diversité des sociétés. Par des tableaux récapitulatifs, il résume les divers aspects de la vie d'une nation qui permettent de comprendre son évolution.

☐ Son œuvre historique étend progressivement son champ d'investigation : il passe de l'analyse d'un règne (*Histoire de Charles XII*) à celle d'une nation (*Le Siècle de Louis XIV*) puis à celle du monde (*Essai sur les mœurs et l'esprit des nations*).

VOLTAIRE :
le triomphe de l'esprit

François-Marie Arouet, dit Voltaire (anagramme de <u>AROVET</u> <u>L</u>e <u>l</u>eune, écriture latine de Arouet Le Jeune) Né en 1694 à Paris Mort en 1778 à Paris

Vie publique : historiographe du roi (1744).
Protectrices : Mme du Châtelet et la duchesse du Maine.
Voyages : Angleterre (en exil de 1726 à 1729), Hollande.
Signes particuliers : exilé en 1716 (pour des écrits satiriques sur les amours du Régent) et en 1726 (à la suite d'un incident avec le chevalier de Rohan) ; s'installe les dix-huit dernières années de sa vie au château de Ferney (sur la frontière suisse) où il développe de nouvelles techniques agricoles et installe quelques fabriques.

■ La religion voltairienne

Dans le *Dictionnaire philosophique,* Voltaire dénonce la superstition attachée à la religion. Il y oppose l'adoration unique de l'Être suprême, dieu géomètre « de tous les êtres », qui engage à suivre une morale fondée sur le « droit naturel » de chacun.

■ Voltaire et Frédéric II

En 1750, Voltaire devient chambellan de Frédéric II, roi de Prusse. Passé l'enthousiasme des fêtes et d'une vie intellectuelle bouillonnante, le philosophe est déçu par Frédéric II qu'il accuse d'agir par réalisme politique et non par idéal philosophique. Le roi est, lui, agacé des irrévérences de son protégé. De retour en France, Voltaire lance une série de pamphlets contre Frédéric II. Avec le temps, les rancunes s'estompent néanmoins. Dans leur correspondance philosophique, Voltaire dissuade Frédéric II, vaincu, de se suicider.

■ Voltaire et l'affaire Calas

En 1761, à Toulouse, le jeune Marc-Antoine Calas est trouvé pendu chez lui. Son père, le calviniste Jean Calas, est accusé de l'avoir assassiné pour l'empêcher de se convertir au catholicisme : il est condamné à mort et exécuté. Après avoir écouté les fils de Calas, Voltaire acquiert la conviction que leur père était innocent. Il obtient un premier arrêt en faveur de Calas et écrit *Le Traité sur la tolérance* dans lequel il s'oppose à tout fanatisme. Calas est réhabilité plus tard grâce à lui. Après cette première victoire, il défend avec succès nombre de causes (affaire Sirven, affaire du chevalier de la Barre, réhabilitation de Lally-Tollendal).

Repas au château de Sans Souci.
À gauche, Voltaire ; à droite Frédéric II.

Les œuvres historiques et philosophiques de Voltaire

1731 : *Histoire de Charles XII.*
1734 : *Lettres philosophiques* (ou *Lettres anglaises*).
1738 : *Discours sur l'homme.*
1751 : *Le Siècle de Louis XIV.*
1756 : *Essai sur les mœurs et l'esprit des nations.*
1763 : *Traité sur la tolérance.*
1764 : *Dictionnaire philosophique.*

MOYEN ÂGE
XVIᵉ SIÈCLE
XVIIᵉ SIÈCLE
XVIIIᵉ SIÈCLE
XIXᵉ SIÈCLE
XXᵉ SIÈCLE

Les contes philosophiques

> Le conte est un récit fictif ou réel dont le but est de distraire. Il permet aux auteurs de poser les questions qui les préoccupent grâce à la caricature et à l'invention. Voltaire inaugure le conte philosophique qui vise à dévoiler les aspects étranges de la réalité par la fiction et à interroger le lecteur par l'ironie.

▬▬ Le conte, roman d'apprentissage

Voltaire, en fidèle disciple de Locke, considère la destinée de l'homme comme le résultat de son environnement, de ses rencontres et de son expérience. Tous ses contes racontent l'expérience d'un jeune homme qui, poussé par un élément extérieur, se trouve au contact des réalités du monde, voyage à la recherche de la connaissance et acquiert un enseignement qui fonde sa philosophie. Les événements ont toujours une fonction pour l'apprentissage du héros qui construit progressivement sa personnalité.

▬▬ Des personnages au service d'une idée

□ Les personnages voltairiens ne sont pas vraiment des héros romanesques. Les aventures qu'ils vivent sont purement morales, souvent invraisemblables ; elles ne servent qu'à leur formation ou à une critique politique, religieuse ou sociale. Dénués de psychologie ou de sentiments, les personnages ne comprennent rien à ce qui leur arrive, à la succession de leurs aventures, dont la logique n'est révélée qu'à la fin. Ils ne comprennent qu'au terme de leur vie, le sens de leur cheminement. Du reste, Voltaire ne commence à écrire des contes qu'à l'âge de quarante-cinq ans.

□ Ils incarnent un thème philosophique donné par Voltaire dans le sous-titre de ses contes : *Zadig ou la Destinée, Memnon ou la Sagesse, Candide ou l'Optimisme...* Qu'ils soient babyloniens, français, westphaliens, portugais, arabes ou habitants de Saturne, ils représentent tous une réponse à une question philosophique essentielle : comment l'homme peut-il faire son bonheur ?

▬▬ Des leçons de sagesse

□ Aucun des héros ne peut échapper à son destin, qui est tracé par le hasard, toujours imprévisible. Ils sont pourtant souvent les auteurs de leurs malheurs, car leurs difficultés viennent d'une philosophie de départ erronée qui les empêche d'avoir prise sur les événements.

□ Micromégas, par ses voyages de planète en planète, voit s'effondrer son orgueil de scientifique et se contente de sa place modeste dans l'univers. Zadig, heureux Babylonien, devient la victime de la destinée à laquelle il n'échappe que grâce à son courage et à son abandon à la Providence. Candide, disciple de l'optimiste Pangloss, est confronté au mal dans ses formes les plus cruelles ; le monde ne lui est supportable que lorsqu'il décide de se construire un idéal à sa mesure ; il se livre à une activité utile en « cultivant son jardin ». Chacun de ses personnages est pour Voltaire la projection d'un aspect de sa vie ou de sa personnalité.

■ Les *Lettres persanes* de Montesquieu (1721) : entre conte et roman

Les *Lettres persanes,* selon l'expression de leur auteur, sont « une espèce de roman ». Elles racontent l'histoire de deux persans, Usbek et Rica, contraints de quitter momentanément leur patrie pour des motifs politiques. Ils décident de découvrir l'Europe. Pour apaiser leur dépaysement et la peur d'être trompés par leurs femmes laissées au sérail, ils adressent à leurs amis restés là-bas une savoureuse correspondance sur leurs découvertes.

Ce roman par lettres ressemble à un conte par son exotisme, son ironie et les aventures des deux héros. Il montre la difficulté de réaliser un idéal, et en cela pose des questions philosophiques proches de celles des contes, sur le bonheur, la liberté et la vertu.

■ L'ironie voltairienne des contes

Le rythme rapide du récit qui enchaîne les épisodes sans répit, empêche les personnages de s'attendrir sur leur sort et de juger les événements au moment où ils se déroulent. Cette distance entre les héros et l'action autorise les procédés ironiques les plus forts : antiphrases, paralogismes, euphémismes, hyperboles. Par cette arme, Voltaire combat les idéologies toutes faites.

■ Schéma de l'action de *Candide*

— Description du monde illusoire fait d'optimisme où vit Candide : Candide en est chassé.

— Découverte de l'omniprésence du mal (guerre, maladie, tremblement de terre, autodafé, viol...) : Candide découvre l'injustice et les aléas du hasard.

— Arrivée dans le monde utopique de l'Eldorado : Candide commence à méditer, à remettre en cause son optimisme.

— Confrontation avec un manichéen, un sceptique et un obscurantiste : Candide suscite ses propres expériences ; il entre en possession de son être, et décide de « cultiver son jardin », c'est-à-dire de se contenter d'un bonheur limité mais assuré.

Contes philosophiques de Voltaire

En tenant compte des éditions posthumes, Voltaire a écrit 26 contes dont quatre sont très célèbres.
1748 : *Zadig.*
1752 : *Micromégas.*
1759 : *Candide.*
1767 : *L'Ingénu.*

MOYEN ÂGE
XVIᵉ SIÈCLE
XVIIᵉ SIÈCLE
XVIIIᵉ SIÈCLE
XIXᵉ SIÈCLE
XXᵉ SIÈCLE

La pensée matérialiste

Les progrès de la biologie et de la chimie expliquent l'émergence d'une pensée matérialiste. Diderot élabore une conception personnelle et provocante de l'univers. Son œuvre n'est publiée qu'au cours du XIXᵉ siècle, tant les lecteurs du XVIIIᵉ siècle étaient peu prêts à recevoir ce raisonnement matérialiste.

Les conceptions matérialistes de l'univers

☐ Pour Holbach (1723-1789), des processus physiques et chimiques expliquent pourquoi le monde n'est que matière et mouvement. De même, Diderot conçoit l'univers comme un vaste mouvement continu de fermentation. Son athéisme est la conséquence de cette conception des lois physiques.

☐ L'origine de la vie, selon Diderot, est un processus chimique dû au hasard. La diversité des matières est le fait d'un dosage différent des éléments essentiels constituant l'univers (terre, air, eau, feu) qui est, lui-même, en perpétuelle évolution.

☐ Pour Helvétius (1715-1771), qui a une conception radicalement mécaniste de l'univers, les pensées de l'homme ne sont que le fruit de ses sensations.

Une morale du bien public

☐ Les hommes doivent-ils donc vivre selon ce mouvement général de la nature, guidés par le seul hasard ? Bien au contraire : la morale de Diderot s'élabore à partir de l'idée que l'homme peut participer au développement de l'univers.

☐ Ainsi il existe des lois naturelles d'après lesquelles les intérêts individuel et collectif peuvent s'harmoniser avec l'ordre du monde. Car, bon par nature, l'homme éprouve du plaisir à faire le bien et à pratiquer la vertu. Il doit travailler à l'amélioration de la société. La seule morale valable est celle qui contribue au bonheur de « la grande famille humaine ».

☐ D'Holbach tire une vision harmonieuse de la vie en société régie par un gouvernement idéal qui assure « l'avantage du plus grand nombre possible ».

Les idéologues

☐ Les idéologues sont un groupe influent de savants et de philosophes (Destutt de Tracy, Cabanis, Volney...), véritables philosophes de la Révolution. Ils se distinguent par leur matérialisme, leur goût pour les sciences de l'homme et leurs applications pratiques, et leur indifférence à la métaphysique qu'ils trouvent inutile.

☐ Condorcet (1743-1794) est un des premiers idéologues à faire des mathématiques appliquées aux problèmes sociaux. Il fonde une science de la connaissance fondée sur l'évolution de la société.

☐ Ils appliquent à la vie morale des méthodes scientifiques et inspirent la création d'un enseignement public et laïc. Ces rationalistes sont les prédécesseurs du positivisme d'Auguste Comte.

DIDEROT :
une pensée polymorphe

Denis Diderot
Né en 1713 à Langres
Mort en 1784 à Paris

Itinéraire : études chez les jésuites, maître ès-arts en 1732, métiers divers à Paris (il rédige des sermons, enseigne les mathématiques, est précepteur chez un financier), directeur de *L'Encyclopédie.*
Amitiés : Rousseau (jusqu'en 1757), Grimm, d'Alembert, Catherine II de Russie (sa protectrice).
Amours : Antoinette Champion (sa femme avec qui il a une fille), Sophie Volland (correspondance régulière).
Signe particulier : emprisonné de juillet à novembre 1749 au château de Vincennes pour ses thèses matérialistes.

■ Une esthétique naturelle

Fidèle aux principes de la nature, Diderot élabore son esthétique selon l'idée que le beau est ce qui reproduit l'ordre naturel. Le génie de l'artiste doit laisser libre cours à la passion et à l'enthousiasme qui « élèvent l'âme aux grandes choses ». L'art contribue donc à une éducation morale.

■ L'œuvre philosophique

En 1746 : *Les Pensées philosophiques* ; la science expérimentale apporte la preuve de l'existence d'un être supérieurement intelligent.
En 1749 : *La Lettre sur les aveugles à l'usage de ceux qui voient* ; l'homme est un hasard de la matière en évolution ; Diderot contredit ici les thèses des *Pensées philosophiques.*
En 1769 : *Le Rêve de d'Alembert* défend la méthode expérimentale et pose le problème de l'origine du monde. Diderot prône la nécessité de la morale qui permet le développement harmonieux de la nature humaine.

■ L'œuvre esthétique

De 1759 à 1781 : *Les Salons* ; série d'articles d'art destinés à *La Correspondance littéraire,* le journal de Grimm qui est un écho de la vie parisienne.
En 1773 : *Le Paradoxe sur le comédien* ; le comédien doit observer la nature humaine pour la reproduire fidèlement, mais il doit se garder d'éprouver les sentiments qu'il exprime.

■ L'œuvre romanesque

En 1760 : *La Religieuse* condamne la perversité qui envahit l'univers clos d'un cloître.
De 1762 à 1777 : *Le Neveu de Rameau,* dialogue entre le narrateur et le neveu du musicien Rameau, représente le conflit entre l'aspiration au débordement poétique et le moralisme.
De 1765 à 1773 : *Jacques le Fataliste* pose le problème de la liberté humaine soumise au déterminisme physique et social.

■ Les pièces de théâtre

Le Fils naturel (1757) et *Le Père de famille* (1758) inaugurent un nouveau genre, la comédie sérieuse qui recherche l'émotion et l'édification morale.

Liberté du style
Contrairement à nombre de ses contemporains, Diderot refuse un style solennel. Il écrit sans s'interrompre et rejette toute idée d'une pensée unifiée. D'où un style « oral » parfois mal compris.
Barbey d'Aurevilly rapporte qu'un jour de faim Diderot écrivit dix-huit sermons pour dix-huit louis avec une facilité déconcertante (*Goethe et Diderot,* 1887).

MOYEN ÂGE

XVIe SIÈCLE

XVIIe SIÈCLE

XVIIIe SIÈCLE

XIXe SIÈCLE

XXe SIÈCLE

L'Encyclopédie

En 1745, le libraire parisien Le Breton a l'idée de publier une traduction de la *Cyclopoedia* de l'anglais Chambers ; il charge Diderot de cette entreprise. Celui-ci en change l'orientation et décide d'écrire un dictionnaire universel des sciences, des arts et métiers, projet consacré par un privilège royal.

L'inventaire exhaustif et raisonné des sciences

☐ Malgré l'exceptionnelle diversité des sujets, un même esprit préside à l'élaboration des articles : abattre les préjugés et faire triompher la raison. La méthode est réaliste et pratique : observation de la nature humaine et documentation précise, planches et notices explicatives.

☐ L'auteur de l'article, qu'il soit philosophe, savant ou technicien, fait la compilation des connaissances théoriques et techniques sur le sujet ; il pose et résout méthodiquement les problèmes et dégage enfin un point central qui permet une vue synthétique sur la question.

Un principe directeur : le progrès

☐ L'*Encyclopédie* réhabilite aussi le travail manuel, le rôle de l'artisan et sa participation décisive au progrès. Chaque science est une science de l'homme et constitue le plus beau signe de libération humaine.

☐ Pour les encyclopédistes, l'humanité est sur la voie du progrès grâce aux lumières de l'esprit humain. Le progrès s'est manifesté clairement dans les sciences, il doit s'étendre à la religion, à la politique et à la morale.

L'esprit polémique

☐ Pour déjouer la censure, les encyclopédistes ne prennent pas ouvertement position. Les pensées les plus hardies sont révélées par une ironie subtile : faux éloges, fausse naïveté, ou renvois successifs qui font se contredire les articles.

☐ La religion est la cible principale ; les encyclopédistes revendiquent les droits de la raison, contestent les miracles, les ambitions papales, la dévotion, et accusent le catholicisme de fanatisme. Ils sont souvent déistes et prônent une philosophie naturaliste, c'est-à-dire qu'ils croient à la bonté naturelle de l'homme : l'homme doit prendre conscience de ses dons innés pour construire son bonheur individuel et participer au bonheur social. Tout cela va à l'encontre des idées établies du siècle.

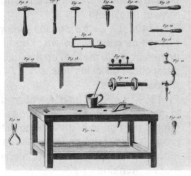

La lutherie (planche de l'*Encyclopédie*).

PETITE HISTOIRE DE L'ENCYCLOPÉDIE

Diderot, assisté de d'Alembert, s'entoure des spécialistes les plus compétents ; il mène son enquête dans les ateliers, classe les manuscrits et les corrige inlassablement. En 1750, il lance le Prospectus qui expose le plan de l'ouvrage et attire ainsi 2 000 souscripteurs. Le premier volume paraît en 1751 ; 16 autres tomes suivront jusqu'en 1765, ainsi que 11 volumes de planches de 1762 à 1772.

■ Les étapes de la bataille encyclopédique

Dès la parution du premier volume, les encyclopédistes doivent affronter des obstacles pour arriver à leurs fins.

— Octobre 1751 : les jésuites lancent des pamphlets contre L'*Encyclopédie* qu'ils accusent de ne pas respecter la religion et de porter préjudice à leur propre dictionnaire, celui de Trévoux.

— Novembre 1751 : l'abbé de Prades, collaborateur de L'*Encyclopédie,* est condamné par la Sorbonne qui lui reproche de prôner la religion naturelle.

— 7 février 1752 : un arrêt du Conseil d'État censure les deux premiers tomes.

— Mai 1752 : grâce à Mme de Pompadour et à Malesherbes, la publication des volumes se poursuit ; d'Alembert est élu à l'Académie française.

— 1757 : *Le Libelle des Cacouacs* de l'avocat Moreau, qui présente les philosophes en sauvages, amuse aux dépens des encyclopédistes.

— 1759 : le conseil du roi ordonne le remboursement des souscriptions et le pape Clément VII condamne L'*Encyclopédie* mais Malesherbes donne à Diderot l'autorisation tacite de poursuivre l'ouvrage.

— 1766 : les dix derniers tomes sont publiés ; un subterfuge tend à faire croire que l'œuvre a été imprimée à l'étranger.

— 1772 : avec les derniers volumes de planches, les souscripteurs reçoivent une gravure symbolique qui représente le triomphe de la Vérité dévoilée par la Raison.

■ Autour de Diderot

— D'Alembert : mathématicien, chargé des articles de mathématiques, physique et philosophie.

— Damilaville : haut fonctionnaire des finances, auteur des articles « Paix » et « Population ».

— Dumarsais : professeur de stylistique, dirige la partie grammaticale.

— Le baron d'Holbach : philosophe et scientifique matérialiste, rédige plus de 400 articles, notamment sur la géologie et la métallurgie.

— Le chevalier de Jaucourt : de formation pluridisciplinaire, il est le rédacteur en chef. Entouré de collaborateurs, il dirige la rédaction d'environ 17 000 articles.

— Marmontel : homme de lettres, chargé des articles de critique littéraire et de morale.

— Rousseau : chargé de la partie musicale et de l'article « Économie politique ».

— Turgot : maître des requêtes au parlement de Paris, contribue à diffuser les théories de Quesnay et des physiocrates dans divers articles d'économie.

— Voltaire : rédige de nombreux articles littéraires.

L'encyclopédie en chiffres

17 volumes et 11 volumes de planches.
60 660 articles.
Publication sur 21 ans : de 1751 à 1772.
Prix : 25 livres par volume (25 livres = plus d'un mois de salaire d'un ouvrier).
1 000 ouvriers y ont travaillé.

| MOYEN ÂGE |
| XVIe SIÈCLE |
| XVIIe SIÈCLE |
| **XVIIIe SIÈCLE** |
| XIXe SIÈCLE |
| XXe SIÈCLE |

Nature et culture

À la différence des autres philosophes du siècle des Lumières qui voient dans le progrès un gage du bonheur, Rousseau condamne les mœurs de son temps et exalte une philosophie et une morale conformes à la nature. Il démontre la supériorité de l'état de nature sur l'état social et prône la nécessité d'instituer l'ordre social le plus naturel possible.

La supériorité de l'état de nature

☐ Rousseau démontre dans ses *Discours* que tout le bien chez l'homme vient de la nature et tout le mal de la société : l'homme était vertueux à l'origine, la société l'a entraîné au vice.

☐ La pensée rousseauiste s'élabore à partir d'un raisonnement hypothétique. Les hommes primitifs étaient libres et égaux. Ils suivaient leurs instincts, étaient animés par un sentiment de pitié qui les disposait à la bienveillance, et ignoraient les dogmes religieux. Ils connaissaient ainsi des plaisirs simples.

☐ D'après Rousseau, le progrès s'accompagne de dépravations et d'inégalités. Les sciences satisfont notre orgueil et conduisent au luxe. La division du travail et la propriété entraînent des dépendances et des inégalités qui favorisent l'avènement d'un pouvoir autoritaire.

Un ordre social proche de l'état de nature

☐ Rousseau propose un ordre social plus proche de la nature, compatible avec la condition d'homme civilisé. La meilleure constitution politique est celle qui garantit le mieux la liberté et l'égalité.

☐ Le *Contrat social* propose un pacte entre l'individu et la société pour le bien de la communauté ; il institue la liberté civile et une égale reconnaissance devant la loi.

☐ Dans le domaine de l'éducation, qui est le sujet de l'*Émile,* Rousseau s'élève contre toute contrainte qui nuit au progrès naturel des facultés de l'individu. Il faut suivre les règles de générosité que la nature a inscrites dans les cœurs et laisser l'être découvrir les merveilles de Dieu sans s'embarrasser de raisonnements ni de sacrements.

Les répercussions de la pensée rousseauiste

☐ L'œuvre de Rousseau séduisit bien des philosophes et même des mondains à qui il proposait l'idéal d'une vie simple, décrite avec enthousiasme dans *La Nouvelle Héloïse*. Ses théories sur l'éducation séduisirent bon nombre de parents dont les enfants servirent de terrains d'expérience, et la *Déclaration des droits de l'homme* s'inspire directement des thèses du *Contrat social*.

☐ En exaltant la nature et les sentiments, Rousseau a ouvert la voie au lyrisme romantique. Dans toute l'Europe, des romanciers et des philosophes reconnaissent leur dette envers lui : Gœthe et Schiller pour leur style, Kant pour ses théories sur la conscience, Herder pour sa pédagogie.

ROUSSEAU :
le souci d'authenticité

Jean-Jacques Rousseau
Né en 1712 à Genève
Mort en 1778 à Ermenonville

Éducation : protestante, par le pasteur Lambercier à qui Rousseau est confié par son père.
Carrière : divers petits métiers (apprenti graveur, laquais, professeur de musique), secrétaire de l'ambassadeur à Venise, secrétaire de Mme Dupin.
Amours : Mme de Warens (aux Charmettes, près de Chambéry, où il vit plusieurs années), Thérèse Levasseur, Mme d'Épinay (chez qui il séjourne à L'Ermitage à Montmorency)
Amitiés : Grimm, Diderot (avec qui il finit par se brouiller).
Signes particuliers : inventeur d'une nouvelle méthode de notation musicale peu utilisée ; abandonne aux Enfants Trouvés ses cinq enfants (nés de son union avec Thérèse Levasseur) ; converti au catholicisme par Mme de Warens, il l'abjure en 1756.

■ Rousseau condamne le théâtre

Dès son premier *Discours,* Rousseau est convaincu que le roman et le théâtre ne peuvent améliorer les hommes ; il prend le prétexte de la parution de l'article « Genève » de l'*Encyclopédie,* qui soulignait les vertus du théâtre, pour en proposer une réfutation dans la *Lettre à d'Alembert sur les spectacles* (1758). Il dénonce l'art de la scène qui flatte le public et ne peut ainsi corriger les mœurs. Il condamne la tragédie qui, par l'expression des passions et de la pitié, fait naître des émotions dangereuses, et la comédie qui ridiculise la vertu. En condamnant les représentations dramatiques, Rousseau consacre sa rupture avec les philosophes et particulièrement avec Voltaire, passionné de théâtre.

■ L'autobiographie selon Rousseau

Rousseau consacre les quinze dernières années de sa vie à l'autobiographie. Dans les *Confessions,* il perçoit l'impossibilité de « tout dire », finit par souligner que les faits ne sont pas essentiels ; seuls comptent les sentiments qui sont inaltérables. Il reconstruit en l'interprétant l'histoire de sa vie. Déçu par l'accueil réservé à cette première autobiographie, il tente dans les *Rêveries* de justifier sa démarche, puis évoque les moments heureux de sa vie sans ordre apparent, sur le ton de la méditation.

Jean-Jacques Rousseau herborisant à Ermenonville.

L'œuvre de Rousseau

1750 : *Discours sur les sciences et les arts.*
1755 : *Discours sur l'origine de l'inégalité.* Ces deux œuvres sont des dissertations en réponse aux concours proposés par l'académie de Dijon : la première est couronnée mais non la seconde, à cause de son audace.
1761 : *La Nouvelle Héloïse.*
1762 : *Du contrat social.*
1762 : *Émile ou De l'éducation.*
1765-1770 : *Confessions.*
1776-1778 : *Rêveries du promeneur solitaire.*

MOYEN ÂGE

XVIᵉ SIÈCLE

XVIIᵉ SIÈCLE

XVIIIᵉ SIÈCLE

XIXᵉ SIÈCLE

XXᵉ SIÈCLE

Le roman par lettres

La peinture du sentiment qui s'impose peu à peu au cours du siècle favorise le développement du roman par lettres qui consiste à rendre compte de la correspondance entre deux amants. Nombre d'écrivains, souvent libertins, y trouvent le moyen de transcrire au présent le sentiment vécu et l'élan de la passion.

L'esprit féministe à outrance

☐ Le roman par lettres est d'abord en faveur chez les femmes qui y voient l'occasion de révéler leur propre sensibilité. Claudine de Tencin (1682-1749), dans les *Mémoires du comte de Comminge* (1735), dénonce la réclusion des femmes privées de tout épanouissement amoureux.

☐ Dans un grand succès de librairie au siècle, *Lettres d'une Péruvienne* (42 rééditions en 50 ans), Françoise de Graffigny (1695-1758) présente la femme comme l'être le plus honnête et le plus prédisposé à la sensibilité et au bonheur. Fortement éprouvée par la vie, Marie-Jeanne de Riccoboni (1713-1792), dans les *Lettres de mistriss Fanni Butlerd*, accuse les hommes de duplicité et d'inconstance. Enfin, Julie de Lespinasse (1732-1776) traduit la violence du sentiment amoureux féminin dans sa *Correspondance au comte de Guibert*.

La passion saisie dans son élan

☐ *La Nouvelle Héloïse* de Rousseau cristallise toutes les aspirations sentimentales de l'époque. Les lettres que s'adressent Julie et Saint-Preux éveillent l'émotion par la différence de sensibilité des deux amants dans leur description d'un même événement : Saint-Preux, double de Rousseau, fait entendre les plaintes d'une imagination exaltée qui peuple sa solitude d'êtres idéaux ; Julie laisse s'épancher sa mélancolie due à la douleur de l'absence.

☐ Au-delà du déchirement entre la passion et la vertu, Rousseau propose un idéal de vie à la campagne où les passions s'assagissent et laissent la place à des sentiments purs d'amitié.

La lettre, moteur de l'action

☐ Le roman épistolaire de Laclos, *Les Liaisons dangereuses,* où la marquise de Merteuil dicte à son ancien amant Valmont une stratégie libertine, ouvre une nouvelle voie au genre. Laclos présente des mondains pervertis chez qui le sentiment sert à nuire.

☐ Il découvre des ressources d'écriture : l'expression de la confidence et de la connivence entre deux êtres qui se comprennent au-delà des mots, ou l'ironie provoquée par la rédaction des lettres dans un style volontairement gauche. Les points de vue variés permettent à l'auteur de solliciter un jugement personnel chez le lecteur. La lettre est un moyen d'action, car le destinataire est souvent la cible d'une stratégie nocive.

LACLOS :
le peintre du libertinage

Pierre Choderlos de Laclos
Né en 1741 à Amiens
Mort en 1803 à Tarente (Italie)

Vie publique : capitaine d'artillerie, membre du club des Jacobins, secrétaire de Philippe d'Orléans, général de brigade de Bonaparte.

Signe particulier : mise à l'index des *Liaisons dangereuses* (de 1782 à la fin du XIXᵉ siècle) qui exclut son auteur des salons parisiens et menace sa carrière de soldat.

sanctionnées : Cécile doit se retirer dans un couvent et madame de Tourvel meurt de honte et de désespoir. En outre la séduction exercée sur le lecteur par les lettres brillantes des deux libertins (qui déploient une virtuosité et une science psychologique raffinée) explique le scandale provoqué par la parution de l'œuvre accusée de fascination nocive. L'ambiguïté morale de l'œuvre reste entière.

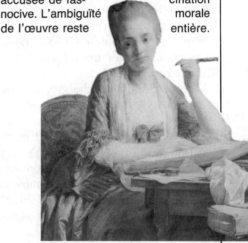

■ La stratégie du libertin

Le libertinage est la règle de vie de la marquise de Merteuil et de Valmont. Ils veulent l'imposer à leurs victimes. Valmont est libertin en ce que, par un jeu froidement calculé, il met tout son talent d'aristocrate au service du pouvoir qu'il veut exercer sur les femmes ; il refuse pour lui le sentiment. La marquise de Merteuil, première expression du libertinage au féminin, redouble d'ingéniosité dans ses méthodes cyniques pour déshonorer, par l'entremise de Valmont, une jeune fille pure et naïve, Cécile Volanges, ainsi qu'une femme mûre et pieuse, madame de Tourvel. Laclos fait une démonstration magistrale des pouvoirs de la volonté immorale dans une société où toutes les valeurs se désintègrent.

■ Ambiguïté morale de l'œuvre

Laclos, dans sa préface, dit faire œuvre de moraliste en décrivant la perversion des âmes. La conclusion du roman semble le prouver : les coupables sont condamnés : Valmont meurt et la marquise de Merteuil est atteinte d'une maladie incurable. Mais leurs victimes aussi sont

Romans par lettres au XVIIIᵉ siècle

Montesquieu : *Lettres persanes* (1721).
Crébillon : *Lettres de la marquise de M. au comte de R.* (1732).
Mme de Graffigny : *Lettres d'une Péruvienne* (1747).
Mme Riccoboni : *Lettres de mistriss Fanni Butler* (1757).
Lettres de milady Juliette Catesby (1759).
Rousseau : *La Nouvelle Héloïse* (1761).
Mme de Beaumont : *Lettres du marquis de Roselle* (1764).
Rétif de La Bretonne : *Le Paysan perverti* (1775).
Laclos : *Les Liaisons dangereuses* (1782).

MOYEN ÂGE

XVIᵉ SIÈCLE

XVIIᵉ SIÈCLE

XVIIIᵉ SIÈCLE

XIXᵉ SIÈCLE

XXᵉ SIÈCLE

La comédie amoureuse

> **Si la comédie et la tragédie demeurent des genres à la mode dans la première moitié du siècle, les œuvres présentées n'offrent pas d'originalité nouvelle. Seul Marivaux brille par ses comédies d'amour où il mêle l'émotion au rire dans le souci permanent de rendre compte des évolutions du cœur humain.**

▬▬▬ Comédie de mœurs et comédie d'intrigue

☐ La comédie amoureuse est au XVIIIᵉ siècle essentiellement une comédie de mœurs ; elle est prétexte à une satire du monde de l'argent. Lesage (1668-1747) l'utilise pour dénoncer la société corrompue des parvenus dans *Turcaret* (1709).

☐ Jean-François Regnard (1655-1709) hésite entre la farce et la comédie d'intrigue. Ses personnages sont des rôles de théâtre mais n'atteignent jamais vraiment la crédibilité d'êtres humains.

☐ Au contraire, par le choix de personnages volontairement atypiques, Marivaux trouve un style naturel qui permet une analyse pénétrante des sentiments.

▬▬▬ Un seul sujet : la reconnaissance de l'amour

☐ S'inspirant du théâtre italien, où l'amour est le motif essentiel de l'action, Marivaux concentre toute son attention sur la prise de conscience de l'amour. Ses personnages, qui luttent contre le trouble amoureux qui les envahit, ont une psychologie complexe faite de contradictions. Mais les obstacles qui s'opposent à la reconnaissance du sentiment amoureux (classes sociales différentes, peur d'aimer) ne peuvent en empêcher l'aveu.

☐ Toute la comédie repose sur le retardement de cet aveu de l'amoureux à l'autre et à lui-même. Elle consiste en un jeu d'esquives, de feintes et de déguisements, presque toujours redoublé par la mise en parallèle de l'amour des maîtres et des valets, qui accentue le burlesque des situations amoureuses.

▬▬▬ Le marivaudage

☐ Tout l'art de Marivaux procède d'une étude minutieuse et exacte de l'évolution du cœur. Son expression est élégante, travaillée, délicate, faite pour traduire le plus précisément possible ces nuances de l'âme (pudeur, hésitation, réticence). On appelle « marivaudage » cette maîtrise du discours amoureux et de la vérité du cœur.

☐ Les comédiens du théâtre italien que Marivaux fréquente longtemps lui transmettent leur spontanéité, leur goût du jeu libre et leur fantaisie qui donnent au marivaudage toute sa grâce.

☐ Les personnages marivaudiens vivent dans l'instant et dans l'inconstance, se découvrant en même temps que le spectateur les découvre.

☐ Le terme « marivaudage » renvoie trop souvent de manière péjorative à un badinage artificiel et un raffinement excessif. Voltaire raillait la trop grande subtilité psychologique de Marivaux en disant qu'il pesait « des œufs de mouche dans des balances de toile d'araignée ».

MARIVAUX :
un analyste du cœur

Pierre Carlet de Chamblain de Marivaux
Né en 1688 à Paris
Mort en 1763 à Paris

Formation : de latiniste chez les Oratoriens, puis études de droit.
Métiers : avocat et journaliste au *Nouveau Mercure,* organe de presse des Modernes.
Amitiés : Fontenelle, Mme de Tencin (sa protectrice qui le fera élire à l'Académie française).
Signes particuliers : ruiné par la banqueroute de Law ; assidu des salons littéraires ; père d'une fille unique qui entre au couvent.

■ Les comédies de l'amour

Marivaux y analyse la conquête des cœurs par l'amour ; il guette « toutes les niches différentes où peut se cacher l'amour lorsqu'il craint de se montrer ». Ou l'amour est ignoré des deux amants (*Le Jeu de l'amour et du hasard,* 1730) ; ou il est ressenti mais les deux amoureux se le cachent (*La Surprise de l'amour,* 1722 et *La Seconde Surprise de l'amour,* 1727) ; ou bien c'est un amour indécis qui est aidé à mûrir par un personnage extérieur (*La Double Inconstance,* 1723 et *Les Fausses Confidences,* 1737). Il s'agit toujours d'un jeu, artificiel peut-être, mais plaisant, subtil et charmant. Dans tous les cas, l'amour triomphe.

■ Le théâtre dans le théâtre

Dans les comédies marivaudiennes, le spectateur voit des personnages jouer le rôle d'autres personnages. Ce théâtre dans le théâtre revêt plusieurs aspects :
— la farce : on se déguise pour jouer un bon tour à quelqu'un ;
— l'échange des rôles entre maîtres et valets : par exemple, dans *La Double Inconstance,* le Prince se déguise en chasseur ;
— l'échange des sexes : dans *Le Triomphe de l'amour* (1732), une princesse se travestit en homme ;
— la répétition d'une pièce sur scène : *Les Acteurs de bonne foi* (1757), l'une des dernières pièces de Marivaux, a un sujet étonnamment moderne : la scène se passe dans les coulisses d'un théâtre et les répétitions montrent les interférences des relations des personnages sur scène et dans la réalité.

Décor de théâtre (XVIIIᵉ siècle).

Destinée de l'œuvre de Marivaux

Le succès de Marivaux est moindre au XVIIIᵉ siècle du fait de sa position à l'écart des philosophes ; en outre, ses pièces sont surtout jouées au Théâtre italien qui est une scène secondaire. Le XIXᵉ siècle, qui applaudit au talent de Musset, se passionne pour Marivaux. Puis Giraudoux et Anouilh au XXᵉ siècle se réclament de lui ; le public d'aujourd'hui apprécie la complexité très moderne de ses analyses et la critique des préjugés.

| MOYEN ÂGE |
| XVIᵉ SIÈCLE |
| XVIIᵉ SIÈCLE |
| **XVIIIᵉ SIÈCLE** |
| XIXᵉ SIÈCLE |
| XXᵉ SIÈCLE |

La comédie satirique

La comédie satirique allie à des intrigues ingénieuses une critique acerbe des institutions et des mœurs. Elle s'adresse souvent à un public de connaisseurs qui sait écouter entre les mots. Beaumarchais, interprète à la scène des idées des philosophes, en est le dramaturge le plus représentatif.

Des satires d'une actualité aiguë

☐ *Le Barbier de Séville* de Beaumarchais remporte un succès considérable dans l'opinion publique qui y trouve l'expression de son insolence à l'égard des puissants. De fait, en dehors des plaisanteries traditionnelles et anodines à l'égard des médecins, des gens de lettres et des juges, certains mots vont plus loin dans la bouche de Figaro : « Aux vertus qu'on exige dans un domestique, Votre Excellence connaît-elle beaucoup de maîtres qui fussent dignes d'être valets ? ».

☐ Dans *Le Mariage de Figaro,* la satire de Beaumarchais se fait encore plus virulente avec des attaques contre la censure et les mœurs politiques. Par ailleurs, le dénouement, qui voit la victoire du valet Figaro aux dépens de son maître, préfigure la victoire du tiers état.

Le sens de l'intrigue

☐ Si la satire a autant de poids, c'est avant tout grâce au sens profond du comique de Beaumarchais et à sa maîtrise de l'intrigue : il sait susciter le rire et la connivence du spectateur, ménager des rebondissements imprévisibles, en évitant un dénouement précoce, qui donnent à ses pièces leur rythme inimitable.

☐ En outre, il enlève aux personnages leur rôle de convention. Ainsi Bartholo n'est pas seulement le barbon manœuvré, mais aussi un homme plein de sagacité. Rosine n'est pas seulement l'ingénue, mais elle révèle aussi une révolte intérieure. Figaro sort du rôle de valet de comédie et devient l'interprète direct de l'auteur.

Qui est Figaro ?

☐ Avec le personnage de Figaro, successeur d'Arlequin, Scapin et Sganarelle, Beaumarchais a créé un véritable type. Figaro n'est jamais figé dans le rôle de serviteur de son maître. C'est un valet frondeur, entreprenant, à la fois cynique et sentimental, épris de justice et de liberté, révolté contre tout pouvoir. Il incarne parfaitement le caractère français, représente le peuple éclairé qui saisit toute occasion de critiquer le gouvernement, réclame une plus grande justice sociale et veut participer au destin de la nation.

☐ Wolfgang Amadeus Mozart (1756-1791) transpose *Le Mariage de Figaro* dans le domaine lyrique, et ce d'autant plus facilement que la pièce comporte déjà nombre d'éléments musicaux. C'est le poète italien Lorenzo Da Ponte qui en rédige le livret. Mozart et Da Ponte doivent procéder à des retouches et des coupures pour satisfaire Joseph II à Vienne.

BEAUMARCHAIS :
un esprit endiablé

Pierre-Augustin Caron de Beaumarchais
Né en 1732 à Paris
Mort en 1799 à Paris

Carrière : horloger (métier de son père), professeur de harpe et de flûte, homme d'affaires, armateur, chargé de missions secrètes du roi.

Procès : accusé à tort par le conseiller Goëzman d'avoir falsifié le testament du banquier Pâris-Duverney dont il était l'associé, il attend deux ans sa réhabilitation par la Chambre royale.

Signes particuliers : fonde la Société des auteurs dramatiques ; édite les œuvres complètes de Voltaire ; participe à l'aménagement de la distribution des eaux à Paris.

En dehors de ses premières parades et de deux drames larmoyants qui connaissent un échec retentissant en 1770, Beaumarchais n'écrivit que deux comédies.

■ La parade, source du théâtre de Beaumarchais

La parade est un spectacle de rue, souvent gratuit, fait de mascarades, cris, personnages dissimulés ou déguisés, où l'on distribue force coups de pied et coups de bâton. Elle est représentée lors des foires annuelles de Paris (celle de Saint-Germain et celle de Saint-Laurent). Le genre connaît un succès considérable en raison de la gaieté des situations et passe dans les salons pour divertir les aristocrates. Beaumarchais fit ses débuts d'auteur dramatique en composant quelques parades. On en retrouve la trace dans ses deux pièces : goût pour les coups de théâtre, pour l'accumulation en chaîne des péripéties et pour le déguisement.

■ *Le Barbier de Séville* (1775)

Le comte Almaviva, jeune seigneur espagnol, a quitté la cour de Madrid pour suivre à Séville une inconnue aperçue au musée, la jeune Rosine, que son tuteur Bartholo séquestre chez lui. Toute l'action découle des stratagèmes dont use Almaviva pour prendre d'assaut le cœur de Rosine et la maison de Bartholo. Figaro, ancien valet d'Almaviva, sert d'intermédiaire.

Des contretemps font rebondir l'intrigue : l'empressement de Bartholo à vouloir se marier avec Rosine, la découverte de bien des subterfuges par Bartholo, son emprise sur l'esprit de Rosine... qui déclenchent le rire. Le dessein de Beaumarchais est de restaurer au théâtre « l'ancienne et franche gaieté ».

■ *Le Mariage de Figaro* (1784)

L'action reprend après plusieurs années de mariage de Rosine et d'Almaviva. Figaro est concierge de leur château. Il décide d'épouser Suzanne, jeune camériste de la comtesse, que courtise Almaviva. L'intrigue devient alors beaucoup plus complexe, car les histoires du valet et du maître vont se mêler. Le comique use de tous les ressorts possibles (rebondissements, surprises, quiproquos). Les décors sont variés. La musique et le chant tiennent une place très importante.

MOYEN ÂGE

XVIᵉ SIÈCLE

XVIIᵉ SIÈCLE

XVIIIᵉ SIÈCLE

XIXᵉ SIÈCLE

XXᵉ SIÈCLE

Les voies nouvelles du roman

Au début du siècle, le roman, décrété frivole, invraisemblable et immoral, est considéré comme un genre mineur. Avec l'évolution de la société et de la pensée, il va progressivement se libérer et s'orienter vers des voies nouvelles.

▰▰▰▰ Le réalisme du roman d'apprentissage

☐ Lesage (1668-1747) inaugure le roman de mœurs avec l'*Histoire de Gil Blas de Santillane* (1715-1735), roman picaresque « à tiroirs », où alternent les épisodes de misère et les moments heureux. L'auteur y brosse un tableau riche et varié des mœurs de son temps : Gil Blas est un jeune espagnol qui s'introduit peu à peu dans la société en même temps que celle-ci évolue.

☐ Marivaux a le même sens du réalisme qu'il traduit dans deux romans d'apprentissage, *Le Paysan parvenu* (1734-1735) et *La Vie de Marianne* (1731-1741). Dans ces deux œuvres, il montre comment évolue la conscience des protagonistes à une époque de libération et d'ascension sociales.

▰▰▰▰ Le scandale de *Manon Lescaut*

L'abbé Prévost (1697-1763) fait évoluer le roman vers la peinture de la passion. *Manon Lescaut* (1731) est l'histoire de l'amour impossible du chevalier Des Grieux, prêt à entrer en religion, pour Manon Lescaut. La fatalité s'acharne tellement sur eux que le lecteur est amené à dénoncer l'ordre social et à revendiquer le droit au bonheur naturel de la passion. Le roman fit scandale et fut condamné au feu après sa parution parisienne.

▰▰▰▰ Des romanciers de l'amour extrême

☐ Crébillon (1707-1777) place aussi l'amour au centre de son œuvre, et décrit les jeux du libertinage (*L'Écumoire*, 1734).

☐ Les romanciers de la seconde moitié du siècle, influencés par *La Nouvelle Héloïse* de Rousseau et *Les Liaisons dangereuses* de Laclos, poussent la littérature amoureuse dans des voies extrêmes : Bernardin de Saint-Pierre exalte le mythe du bonheur dans la nature éternisé par la mort, Sade fait triompher le vice et la cruauté.

▰▰▰▰ Roman philosophique et roman fantastique

☐ Encouragé par Voltaire, Jean-François Marmontel (1723-1799) écrit deux romans à thèse, *Bélisaire* (1767) et *Les Incas* (1777). Le deuxième est une œuvre de combat qui évoque de façon symbolique les deux cibles principales de la philosophie militante : l'oppression et le fanatisme.

☐ Cazotte (1719-1792) écrit le premier récit fantastique français avec *Le Diable amoureux* (1772) qui recourt systématiquement au surnaturel. Le Diable apparaît à un jeune officier espagnol, Don Alvare, sous les formes les plus insolites, des plus repoussantes aux plus séduisantes.

BERNARDIN DE SAINT-PIERRE et SADE : deux regards sur l'amour

Jacques-Henri Bernardin de Saint-Pierre
Né en 1737 au Havre
Mort en 1814 à
Éragny-sur-Oise

Donatien Alphonse François, marquis de Sade
Né en 1740 à Paris
Mort en 1814 à Paris

Métier : ingénieur.
Amitié : Jean-Jacques Rousseau (dont il partage les promenades jusqu'en mai 1778).
Voyages : Martinique, Malte, Russie, Pologne, île de France (aujourd'hui île Maurice).

Vie publique et privée : débauches, scandales.
Signes particuliers : allié à la Maison des Bourbons ; plusieurs emprisonnements, le plus long de 1778 à 1790 ; il meurt à la prison de Charenton en 1814.

■ *Paul et Virginie* (1778), un roman exotique

Paul et Virginie, tous deux orphelins de père, sont élevés dans l'innocence naturelle au cœur des paysages tropicaux de l'île Maurice. Un amour naturel, fait de tendresse et d'émotion, naît entre eux. *Paul et Virginie* suit le schéma de la pastorale, qui oppose les vertus naturelles à la corruption sociale, mais échappe à la mièvrerie grâce au jeu des symboles et des sensations puissantes. Bernardin de Saint-Pierre transcrit l'harmonie des êtres dans une nature faite pour eux, et traduit le pessimisme de l'existence par le dénouement qui rend impossible l'idée de bonheur terrestre.

■ La jouissance triomphante

Sade vit de la littérature en publiant des œuvres que lui a inspirées son expérience carcérale. Il veut « offrir partout le vice triomphant et la vertu victime de ses sacrifices ». Après *Les Infortunes de la vertu* (1787), il écrit *La Philosophie dans le boudoir* (1795) où il prétend radicaliser la Révolution française en invitant aux déviations sexuelles.

Sade se révèle un écrivain lucide qui préfère la peinture de la vie privée à celle de la vie sociale. Après avoir pris conscience que la nature est le mal, l'être humain doit aller jusqu'au bout de cette constatation ; le plaisir remplace le bonheur qui n'existe pas comme tel et la vertu doit céder la place à l'égoïsme. Sade donne au désir sans limite toute son expression. Il s'exprime à travers ses obsessions et ses phantasmes et crée ainsi une nouvelle sorte de roman philosophique fondé sur la provocation scandaleuse. L'œuvre de Sade n'est découverte qu'à la fin du XIXᵉ siècle par les « décadents » qui en font la référence de l'affranchissement total.

MOYEN ÂGE

XVIᵉ SIÈCLE

XVIIᵉ SIÈCLE

XVIIIᵉ SIÈCLE

XIXᵉ SIÈCLE

XXᵉ SIÈCLE

Variété poétique

Le climat rationnel du XVIIIᵉ semble peu favorable à la poésie. Pourtant les poètes foisonnent dans les genres les plus divers. Même si la poésie reste prisonnière des conventions, la fin du siècle révèle un grand poète authentique : André Chénier.

▬▬▬ Des genres frivoles stéréotypés

☐ Bien que décriées, les pastorales subsistent, répondant au goût du public pour un bonheur naturel : elles mettent en scène des bergers et des bergères dans un contexte galant.

☐ La poésie de divertissement connaît un grand succès avec des poèmes à forme brève qui manifestent une virtuosité verbale : jeux poétiques, impromptus, épigrammes et chansons ; leurs maîtres en sont Voltaire, Marmontel et Florian (auteur de la chanson *Plaisir d'amour*). L'inspiration de ces types de poésies regorge de clichés dans la représentation d'un monde idéal fait pour le seul plaisir.

▬▬▬ Le goût des grands genres

La faveur du public va aux odes et aux épopées qui chantent la grandeur nationale telle *La Henriade* de Voltaire (1728), écrite en l'honneur de Henri IV. Cette œuvre pullule de scènes de combat et de figures allégoriques qui brisent l'élan poétique. Voltaire a aussi recours à l'ode pour exprimer des méditations intérieures sur les catastrophes naturelles (*Poème sur le désastre de Lisbonne*) et sur les grands thèmes philosophiques qui le préoccupent. Jean-Baptiste Rousseau adresse ses odes aux rois européens pour leur montrer un gouvernement idéal fait de paix et de liberté.

▬▬▬ L'élégie exotique

L'élégie chante les sentiments amoureux, la mélancolie et le regret. Évariste de Parny (1753-1814), Antoine de Bertin (1752-1790) nés tous les deux à l'île Bourbon (devenue la Réunion en 1793) et Nicolas-Germain Léonard (1744-1793), né à la Guadeloupe, gardent une nostalgie de leurs origines tropicales : ils chantent dans leurs élégies ces lieux utopiques de bonheur voluptueux qu'ils ont perdus. Ils satisfont le goût de l'époque pour l'exotisme. Leurs thèmes essentiels, la nature, la vertu, la passion et l'au-delà inspirent les romantiques.

▬▬▬ La poésie des ruines et des jardins

☐ La poésie descriptive, illustrée par Delille (1738-1813) et Saint-Lambert (1716-1803), tire ses sujets du spectacle des ruines et des jardins qui éveillent l'émotion et la méditation dans un climat le plus souvent automnal. La dérision du temps, la revanche de la nature, la peur de la mort, se lisent dans les paysages chaotiques de ruines. À l'inverse, le spectacle des jardins, harmonieux et équilibré, répond au désir d'ordre et de civilisation.

☐ Par ces deux sujets, les poètes cherchent à réconcilier le respect du passé et l'amour du progrès de l'homme sur la nature.

CHÉNIER :
la poésie de l'âge d'or

André Chénier
Né en 1762 à Constantinople
Mort en 1794 à Paris

Études : au collège de Navarre à Paris
(mathématiques, physique, philosophie).
Passion : la Grèce antique.
Vie publique : secrétaire d'ambassade à
Londres, journaliste au *Journal de Paris*
et au *Moniteur.*
Amour : Aimée de Coigny dont il
s'éprend en prison juste avant sa mort.
Signes particuliers : guillotiné pour avoir
contesté la compétence de l'Assemblée
au procès de Louis XVI ; il n'a pas publié
ses œuvres de son vivant, mais les a
seulement regroupées par genre avant sa
mort.

■ « Sur des pensers nouveaux, faisons des vers antiques »

Fervent admirateur des poètes grecs et
latins, André Chénier les prend pour mo-
dèles. Il condamne la société moderne où
les mots ont perdu leur pureté, leur simplicité et leur vérité. Sa poésie est un
éloge de l'âge d'or et du bonheur naturel, à la façon de Rousseau. Il s'agit de
faire entendre la beauté mélodieuse des
vers, comme pour un chant.
Chénier conserve les genres codifiés par
les Anciens, comme en témoignent les
titres de ses œuvres : *Bucoliques, Élégies, Odes, Iambes.* Sa nouveauté réside
dans les sujets de ses poèmes ; il choisit
de montrer au siècle la voie de sa grandeur par l'apologie de la vertu et de la
liberté. Il commence même l'épopée de
la science et de la raison avec *Hermès*
(dont il n'écrit que quelques fragments)
qui montre sa foi en l'homme.

■ Un précurseur de génie

André Chénier ne fut connu de son vivant
que par ses écrits politiques et deux poèmes. En 1819, la publication de ses
œuvres sera pour les écrivains romantiques une véritable révélation.

Recueils poétiques au XVIIIe siècle

1728 : Voltaire : *La Henriade.*
1736 : Voltaire : *Le Mondain.*
1738 : Voltaire : *Discours sur
        l'homme.*
1766 : Léonard : *Idylles morales.*
1769 : Saint-Lambert : *Les Saisons.*
1778 : Parny : *Poésies érotiques.*
1780 : Bertin : *Les Amours.*
1782 : Delille : *Les Jardins.*
1785-87 : Chénier : *Bucoliques.*
1785-89 : Chénier : *Élégies.*
1794 : Chénier : *Iambes.*

MOYEN ÂGE

XVIᵉ SIÈCLE

XVIIᵉ SIÈCLE

XVIIIᵉ SIÈCLE

XIXᵉ SIÈCLE

XXᵉ SIÈCLE

Le XIXᵉ siècle

La politique entre passé et futur

☐ La révolution de 1789 exprimait un désir de changement économique et social. Mais ses excès et sa violence ont fait regretter l'ordre ancien et ravivé l'attachement à la tradition. L'attirance du passé comme du futur anime ce XIXᵉ siècle bouillonnant à la recherche de synthèse. Les révolutions et les régimes politiques se multiplient : l'Empire, la Restauration, la Seconde République et le Second Empire essayent, chacun à leur manière, de concilier tradition et innovation mais sans succès véritable. Cependant, l'image d'une république modérée se dessine peu à peu et réussit à s'imposer en 1870.

L'esprit bourgeois

☐ Les grands bénéficiaires de la Révolution sont les bourgeois qui participent à la politique jusqu'alors réservée à l'aristocratie. Avec les progrès de l'industrialisation, leur nombre et leur richesse augmente et ils instaurent un certain état d'esprit : attachement à l'ordre moral et politique nécessaire à leur pérennité ; mépris pour le peuple qu'ils privent de liberté.

Une pensée globale

☐ Les grands changements politiques et économiques poussent les hommes du XIXᵉ siècle à chercher une compréhension générale des faits qui présente l'apparence d'un système cohérent. Cette idée d'une unité qui sous-tend la diversité se retrouve partout : histoire, littérature, poésie, philosophie, science. On supprime même les limites entre ces différents domaines. Les historiens mettent en relation la politique, l'économie, la vie sociale et intellectuelle pour faire apparaître l'esprit d'une époque et le sens dans lequel progresse l'humanité. L'abstraction envahit le langage, les théories se multiplient. La cohérence intellectuelle l'emporte parfois sur l'exactitude, les idées sur le individus.

La culture pour tous

☐ Le progrès social passe par l'accès de tous à l'enseignement. Des mesures scolaires prises tout au long du siècle (spécialement les lois Guizot et Jules Ferry), permettent de généraliser la pratique du français et de lutter contre l'analphabétisme.

☐ L'extension de la culture est favorisée par les progrès de l'imprimerie et des transports : les tirages sont plus rapides, plus nombreux et moins chers. Les journaux et les livres deviennent accessibles à tous, d'autant plus que se créent un peu partout des bibliothèques et des salles de lecture.

XIXᵉ siècle — LES FAITS MARQUANTS

Règnes	Vie politique	Littérature française	Les arts en France
Empire 1804-1814	1799 — Consulat 1802 — Bonaparte, consul à vie 1804 — Napoléon 1ᵉʳ, empereur	1802 — Chateaubriand : *Le Génie du christianisme* 1810 — Mme de Staël : *De l'Allemagne*	1807 — David : *le Sacre* 1814 — Ingres : *la Grande Odalisque*
Restauration Louis XVIII 1814-1824 **Charles X** 1824-1830 **Monarchie de Juillet Louis-Philippe** 1830-1848	1815 — Cent jours - Waterloo 1830 — Révolution : les Trois glorieuses	1820 — Lamartine : *Méditations poétiques* 1826 — Vigny : *Poèmes antiques et modernes* 1829-1848 — Balzac : *la Comédie humaine* 1830 — Hugo : *Hernani* Stendhal : *le Rouge et le Noir* 1834 — Musset : *Lorenzaccio* 1844 — Dumas : *Les Trois Mousquetaires*	1819 — Géricault : *le Radeau de la Méduse* 1828 — Delacroix : *La Barque de Dante* 1835 — Corot : *Vue de Florence* 1844 — Gavarni : lithographies Daumier : caricatures 1846 — Berlioz : *la Damnation de Faust*
Deuxième République 1848-1852 **Second Empire** 1852-1870 **Troisième République** 1870-1940	fév-juin 1848 — Révolutions 1848 — Louis-Napoléon élu prédident 2 déc. 1851 — Coup d'État de Louis-Napoléon 1870-1871 — Guerre franco-prussienne 1871 — Commune de Paris 1875 — Constitution républicaine 1896-1899 — Affaire Dreyfus	1848 — Chateaubriand : *Les Mémoires d'outre-Tombe* 1855 — Nerval : *Aurélien* 1856 — Hugo : *Les Contemplations* 1857 — Flaubert : *Mme Bovary* Baudelaire : *Les Fleurs du Mal* 1869 — Flaubert : *l'Éducation sentimentale* 1871-1893 — Zola : *Les Rougon-Macquart* 1873 — Rimbaud : *Une saison en enfer* 1874 — Verlaine : *Romances sans paroles* 1883 — Maupassant : *Une vie* Hugo : *la Légende des siècles* Villiers de l'Isle-Adam : *Contes cruels* 1897 — Mallarmé : *Poésies*	1859 — Millet : *l'Angélus* 1861-1875 — Garnier : L'opéra de Paris 1863 — Manet : *le Déjeuner sur l'herbe* 1866 — Offenbach : *la Vie parisienne* 1870 — Cézanne : *Déjeuner sur l'herbe* 1875 — Bizet : *Carmen* 1877 — Pissaro : *les Toits rouges* 1880 — Rodin : *le Penseur* 1887 — Renoir : *Jeunes filles au piano* 1890 — Van Gogh : *le Champ de blé aux corbeaux* 1894 — Debussy : *Prélude à l'après-midi d'un faune* Toulouse-Lautrec : *Yvette Guilbert* 1898 — Gauguin : *le Cheval blanc*

MOYEN ÂGE

XVIᵉ SIÈCLE

XVIIᵉ SIÈCLE

XVIIIᵉ SIÈCLE

XIXᵉ SIÈCLE

XXᵉ SIÈCLE

Les premiers romantiques

Née en Angleterre et en Allemagne, la sensibilité romantique éclôt en France vers 1800, au retour d'exil des émigrés. Les premiers romantiques rejettent la raison universelle des Lumières et privilégient l'expression d'une sensibilité personnelle tourmentée et malheureuse.

Le « mal du siècle »

☐ Les premiers romantiques condamnent la société qu'ils accusent de mensonge et de corruption. Contrairement aux philosophes du siècle des Lumières, ils ne trouvent pas d'occasion de donner corps à leur révolte dans un engagement politique.

☐ Appartenant souvent à l'aristocratie, parfois ruinés et bannis, ils se sentent exclus de la société. Ce sentiment de rejet et d'inadéquation au monde nourrit en eux la nostalgie du passé et une aspiration vers l'absolu, qui se traduisent par le désespoir et l'attrait de la mort.

Une inspiration nostalgique

☐ À la suite de Rousseau et des Allemands, Novalis (1772-1800) et Goethe (1749-1832) les premiers romantiques considèrent que la nature reflète les tourments de l'âme. Ils sont tout particulièrement attirés par les paysages accidentés et grandioses, à l'image de leur vie intérieure (la haute montagne, le mer déchaînée).

☐ Le Moyen Âge et la chevalerie, méprisés par les classiques et redécouverts par les poètes anglais (Blake, Shelley, Byron), alimentent la nostalgie d'un passé héroïque. De même, les premiers âges du christianisme sont prétextes à l'évocation de la grandeur d'un temps révolu.

La complexité du « moi »

☐ Exaltant le sentiment de leur différence par rapport aux autres hommes, les romantiques portent sur le monde un regard qui passe par le prisme de leur sensibilité personnelle.

☐ Contrairement aux Lumières qui croyaient au pouvoir de la raison, donc du discours, ils ne cachent pas leur défiance à l'égard des mots qu'ils jugent incapables d'exprimer toute la puissance des passions.

☐ S'opposant aussi au classicisme, ils rejettent toute idée de norme créatrice, perçue comme artificielle et impropre à rendre compte de la complexité et de la singularité de l'âme.

Les romanciers du « moi »

Mme Staël dans *De la littérature* et dans *De l'Allemagne,* Chateaubriand dans *Le Génie du christianisme* donnent les éléments théoriques d'une littérature romantique, fondée sur l'affirmation de l'originalité de l'individu. Avec Benjamin Constant et Étienne de Senancour, ils mettent ces idées en pratique dans des récits romanesques écrits à la première personne où apparaissent, derrière l'analyse des tourments du héros, leurs expériences personnelles.

CHATEAUBRIAND : le romantisme naissant

François-René de Chateaubriand
Né en 1768 à Saint-Malo
Mort en 1848 à Paris

Vie politique : exil en Angleterre (1792-1800) ; diplomate sous l'Empire ; ministre d'État pendant la Restauration : ambassadeur à Berlin, Londres et Rome ; ministre des Affaires étrangères (1822-1824).
Amours : plusieurs maîtresses dont Madame Récamier.
Voyages : Amérique, 1791 ; Orient, 1806-1807.

■ *Atala* (1801) et *René* (1802)

Dans *Atala,* un vieil Indien aveugle, Chactas, raconte sa jeunesse à René, un Français qui souhaite vivre parmi les Indiens. Le grand succès de ce court roman est dû essentiellement à son inspiration exotique et à la mort d'Atala, jeune chrétienne : celle-ci refuse de céder à son amour pour Chactas, témoignant ainsi de sa foi et donc de la grandeur du christianisme.

René, dans le deuxième roman, raconte sa vie à Chactas ; il explique les origines de sa mélancolie et la fatalité qui pèse sur lui. Ce court roman a pour ressort le lyrisme ; la description du « mal du siècle » est l'unique justification de l'écriture. René servit de modèle à tous les esprits romantiques.

■ *Le Génie du christianisme* (1802)

Écrit après la période révolutionnaire, cet ouvrage correspond pour Chateaubriand à une période de doute et d'interrogation ; il manifeste la volonté de réintégration sociale de l'écrivain autant que son désir sincère de réhabiliter le christianisme. L'apologie de la religion est faite par l'évocation des beautés et des bienfaits du christianisme.

■ *Les Mémoires d'outre-tombe*

Écrites à partir de 1822, elles furent publiées entre 1848 et 1850, après la mort de l'auteur, conformément à ses désirs. Chateaubriand mène de front un récit autobiographique et une chronique de mémorialiste. Il éclaire sa vie par la description et l'analyse de l'époque et de la société qu'il a connues. Il fait de lui-même un portrait flatteur, avec une complaisance parfois irritante.

L'auteur défie le temps et la mort, non seulement par sa clairvoyance mais aussi par la diversité, la musique et la poésie de son écriture.

Illustration pour *Les Natchez* de Chateaubriand.

Les premiers écrits romantiques en France

— Chateaubriand : *Atala* (1801), *René* (1802), *Le Génie du christianisme* (1802), *Les Mémoires d'outre-tombe.*
— Mme de Staël : *Delphine* (1802), *Corinne ou l'Italie* (1807).
— Étienne de Senancour : *Oberman* (1804).
— Benjamin Constant : *Adolphe* (écrit en 1806, publié en 1816).

MOYEN ÂGE

XVIᵉ SIÈCLE

XVIIᵉ SIÈCLE

XVIIIᵉ SIÈCLE

XIXᵉ SIÈCLE

XXᵉ SIÈCLE

La poésie romantique

À partir de 1820, avec les *Méditations* de Lamartine, a lieu la première « explosion » poétique du XIXᵉ siècle : Lamartine, Musset et Vigny inventent une poésie spontanée qui a pour seul sujet le moi souffrant. À leur suite, Hugo adopte la même conception poétique ; il l'intériorise et la renouvelle jusqu'en 1883.

■■■ À l'écoute du moi souffrant

□ Le moi, dans sa vie sentimentale, est la seule source d'inspiration authentique. Le poète acquiert ainsi indépendance et originalité : « Je n'imitais plus personne, je m'exprimais moi-même pour moi-même. » (Lamartine).

□ Le poète cherche à combler ses aspirations profondes et à atteindre la plénitude sentimentale ; mais, toujours insatisfait, il est sujet au « mal de vivre » dans une société qu'il juge ingrate et médiocre et qui ne le comprend pas.

□ Le « mal de vivre » comporte aussi les souffrances issues de la condition humaine ; la mort de sa fille Léopoldine inspire à Victor Hugo *Les Contemplations* où s'exprime sa douleur, en communion avec la souffrance de l'univers.

■■■ Les réponses au mal de vivre : nature et spiritualité

□ Le poète se tourne vers la nature. Il y trouve un lieu de liberté où il peut donner libre cours à ses sentiments. Chez Lamartine, la nature agit sur les états d'âme, spécialement lorsqu'elle offre une forme de refuge (vallon, lac, bois, prairie, grotte), source de sérénité ou de douce nostalgie.

□ Dieu peut-il combler le vide intérieur ? Oui, pense Lamartine, mais il délaisse la religion catholique traditionnelle sous l'influence du déisme, venu du siècle des Lumières, et du christianisme social. Vigny pense l'homme abandonné de Dieu ; il l'invite à la résignation et à espérer dans la grandeur et les vertus de l'intelligence ; les « idées » sont le seul Dieu qu'il reconnaisse. Musset, convaincu de l'irrémédiable solitude humaine, cherche un moyen d'apaiser sa souffrance par la seule vertu des mots.

■■■ Un souci d'universalité

□ L'attention au moi ne réduit pas l'intérêt de la poésie à un individu ; le poète voit, dans ses expériences, une image de la condition humaine victime de l'amour, de la mort, de la fuite du temps et de la solitude ; il communie ainsi plus intimement avec l'humanité souffrante.

□ Après 1830, les vers de Lamartine, Vigny et Hugo prennent une allure militante en dénonçant la misère du peuple. Musset, d'un grand pessimisme politique, refuse d'engager sa poésie dans cette voie.

□ Lamartine, Vigny et Hugo croient aux progrès de l'humanité en général et pensent avoir un rôle à jouer. Pour Lamartine, la poésie doit se charger des souffrances des hommes comme le Christ s'est chargé de leurs maux pour les offrir à Dieu. Pour Vigny et Hugo, le poète, philosophe ou visionnaire, doit éclairer les hommes pour leur redonner espoir ou pour leur indiquer la route à suivre.

LAMARTINE et MUSSET :
deux maîtres de la poésie romantique

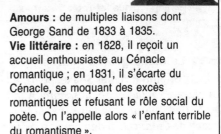

Alphonse de Lamartine
Né en 1790 à Mâcon
Mort en 1869 à Paris

Amours : une jeune Napolitaine (Graziella dans son œuvre) et Julie Charles, jeune femme « poitrinaire », qui meurt en 1817 (Elvire dans son œuvre).
Vie politique : attaché d'ambassade à Naples ; secrétaire d'ambassade à Florence (1825) ; député de 1833 à 1851 ; en décembre 1848, il subit un échec cuisant aux élections présidentielles contre le prince Napoléon.

Alfred de Musset
Né en 1810 à Paris
Mort en 1857 à Paris

Amours : de multiples liaisons dont George Sand de 1833 à 1835.
Vie littéraire : en 1828, il reçoit un accueil enthousiaste au Cénacle romantique ; en 1831, il s'écarte du Cénacle, se moquant des excès romantiques et refusant le rôle social du poète. On l'appelle alors « l'enfant terrible du romantisme ».
Signe particulier : il s'arrête d'écrire en 1838, mais ne connaît le succès qu'en 1847.

■ Les Méditations poétiques (1820)

Le recueil est salué comme un événement littéraire ; son succès est immédiat : en mars paraît un premier tirage de 500 exemplaires sans nom d'auteur ; une deuxième édition, signée, sort dès avril. Les vingt-quatre pièces du recueil se présentent comme une rêverie dont les trois figures dominantes sont le moi, la mort et Dieu. Le génie de Lamartine apparaît surtout dans la musique de sa poésie : la valeur des mots vient souvent des sonorités plus que du sens ; le rythme donne au texte toute sa grâce : il coule sans heurts, reposant sur des parallélismes et des balancements ; juxtapositions et glissements donnent aux vers une étonnante fluidité.

■ Les Nuits

Recueil de quatre longs poèmes (*La Nuit de mai, La Nuit de décembre, La Nuit d'août, La Nuit d'octobre*), qui se présentent sous la forme de dialogues du poète avec la Muse ou avec la Solitude. Musset, marqué par sa séparation d'avec George Sand, essaye d'exorciser sa douleur et s'interroge sur les rapports entre la souffrance et la création poétique.

Les principaux recueils poétiques romantiques

— Lamartine : *Les Méditations poétiques* (1820), *Harmonies poétiques et religieuses* (1830).
— Hugo : *Odes et Ballades* (1822 à 1828), *Les Orientales* (1829), *Les Rayons et les Ombres* (1840), *Les Châtiments* (1853), *Les Contemplations* (1856), *La Légende des siècles* (1859-77-83).
— Vigny : *Poèmes antiques et modernes* (1826), *Les Destinées* (1844).
— Musset : *Les Nuits* (1835-1837).

Le lac du Bourget, qui inspira Lamartine.

MOYEN ÂGE
XVIᵉ SIÈCLE
XVIIᵉ SIÈCLE
XVIIIᵉ SIÈCLE
XIXᵉ SIÈCLE
XXᵉ SIÈCLE

Le drame romantique

Le théâtre classique, avec son cortège de règles, est, pour la génération romantique, le bastion de la tradition à abattre. Le drame romantique a vu sa théorie s'élaborer avant l'écriture des œuvres elles-mêmes ; elle prône le refus des règles et le mélange des genres. Le succès du drame romantique fut retentissant mais de courte durée (1830-1843).

Le mélange des genres

En 1823, Stendhal remet Shakespeare à l'honneur dans un ouvrage de réflexion sur le théâtre : *Racine et Shakespeare*. À la lecture de ce texte, Hugo découvre la complexité de la nature humaine, capable à la fois de sublime et de grotesque. Dans la préface de *Cromwell*, il demande donc le mélange des genres tragique et comique.

Totalité, diversité et transfiguration

☐ Pour Hugo, le drame est la peinture totale de la réalité des choses, des êtres et de l'histoire : le Lorenzo de Musset (dans *Lorenzaccio*), pur et corrompu, idéaliste et désespéré, en est une des incarnations les plus réussies.

☐ Hugo récuse la bienséance qui interdisait de montrer sur scène les batailles et les meurtres ; il refuse aussi de respecter les limites artificielles et contraignantes des unités de temps et de lieu. Les actions s'imbriquent les unes dans les autres ; il faut représenter la vie dans toute sa diversité.

☐ Le dramaturge ne doit pas copier servilement le réel mais choisir dans la nature et dans l'histoire des détails significatifs, les condenser, les interpréter, pour servir son dessein et élaborer une réalité grandiose qui atteigne la dimension du mythe.

Une première animée

Le 25 février 1830, la première représentation d'*Hernani* donne lieu à une véritable bataille : partisans du théâtre classique contre ceux du drame romantique. La querelle s'engage dès l'enjambement peu régulier des deux premiers vers. Par la suite, tous les vers sont à la fois sifflés et acclamés. Le combat se poursuit après le spectacle (déformations, pastiches) ; *Hernani* en sort vainqueur.

Les raisons d'un échec

☐ Le drame, né d'une abondante théorie, ne parvint pas à se dégager du roman : trop longues (3 000 vers pour *Cromwell*) et trop complexes, les pièces posèrent des problèmes de mise en scène auxquels on ne trouva pas de solution satisfaisante : ce fut la raison de l'échec des *Burgraves*. Et c'est pourquoi Musset, déçu, préféra écrire pour la lecture et non pour la scène ; le plus grand drame romantique, *Lorenzaccio* ne fut représenté intégralement qu'en 1952.

☐ L'opposition du théâtre classique reprit vite de la force : on attribuait à la qualité des acteurs le succès des drames romantiques ; on reprochait la complication des intrigues et la pauvreté psychologique des personnages.

HUGO :
le chef des romantiques

Victor Hugo
Né en 1802 à Besançon.
Mort en 1885 à Paris
(enterré au Panthéon).

Amours : Adèle Foucher (qu'il épouse en 1822 ; ils ont quatre enfants ; l'aînée, Léopoldine, meurt noyée avec son mari) et Juliette Drouet, actrice, à partir de 1833.

Vie politique : pair de France en 1845 ; 1848 : député (pour puis contre Louis-Napoléon Bonaparte) ; 1876 : sénateur inamovible.

Exil : Bruxelles, Jersey, Guernesey (de 1851 à 1870).

Honneurs : reçoit la Légion d'honneur à 23 ans (1825) ; sa rue, de son vivant, porte son nom ; le jour de son entrée dans sa 80e année, 600 000 Parisiens défilent sous ses fenêtres pour lui souhaiter un bon anniversaire ; à sa mort, il reçoit des funérailles nationales auxquelles assistent 2 millions de personnes.

■ *Hernani* (1830), premier exemple de drame romantique

Hernani marque le triomphe de l'école romantique et de l'art nouveau. Le drame ne respecte pas l'unité de lieu (la scène est parfois à Saragosse, parfois dans les montagnes d'Aragon, parfois à Aix-la-Chapelle) ni l'unité de temps (l'intrigue s'étale sur plusieurs mois). En outre, l'action est complexe : une intrigue sentimentale doublée d'une intrigue politique. Le romantisme tient surtout au souffle lyrique dont la pièce est traversée par une suprême maîtrise des vers.

■ *Ruy Blas* (1838), intrigue sentimentale, tragique et comique

Hugo résume ainsi le sujet de sa pièce : « C'est un homme qui aime une femme. » Cela dit, l'homme est un laquais, la femme, une reine. L'amour s'impose entre eux en dépit de toutes les distances sociales mais au prix d'une issue tragique. Se mêlent aussi des éléments comiques avec la peinture grotesque de Don César, gueux magnifique, et des moments de fantaisie étourdissante qui font oublier le danger couru en permanence par la reine. Ce drame est une démonstration magistrale du mélange des genres de la théorie romantique.

La première d'*Hernani*, d'après une caricature du temps.

Les principaux drames romantiques

— Alexandre Dumas : *Henri III et sa cour* (1829) ; *Antony* (1831) ; *Kean* (1836) ; *La Tour de Nesle* (1832).
— Alfred de Vigny : *Chatterton* (1835).
— Victor Hugo : *Hernani* (1830) ; *Ruy Blas* (1838) ; *Marie Tudor* (1833).
— Alfred de Musset : *On ne badine pas avec l'amour* (1834) ; *Lorenzaccio* (1834).

MOYEN ÂGE

XVIe SIÈCLE

XVIIe SIÈCLE

XVIIIe SIÈCLE

XIXe SIÈCLE

XXe SIÈCLE

Le romantisme et le roman

Vers 1825, apparaît le roman d'inspiration romantique : il s'inscrit dans le prolongement des ouvrages autobiographiques des premiers romantiques. Il est aussi influencé par les romans historiques de l'Anglais Walter Scott. Après 1830, il s'empare de la cause populaire.

Des nouveautés dans la tradition sentimentale

☐ La tradition du roman sentimental reste forte mais une évolution remarquable se dessine : enrichissement de la vie psychologique (Fromentin avec *Dominique* cherche dans la mémoire un moyen d'apaiser la douleur), nouvelle approche des aventures sentimentales (Sainte-Beuve adopte une distance critique).

☐ Le roman dépasse le simple témoignage autobiographique. Musset, dans *La Confession d'un enfant du siècle,* situe l'aventure sentimentale dans une perspective historique et présente une analyse très subtile du « mal du siècle ». Chez George Sand, le lyrisme romantique est mis au service du plaidoyer en faveur de la libération affective de la femme.

Fiction et vérité dans le roman historique

☐ Dans la préface de *Cinq-Mars* (1826), Vigny juge la vérité historique moins importante que la vérité morale et, tout en s'attachant à des personnages de premier rang, il se permet de changer certains faits. D'autres romanciers historiques, pour garder une certaine liberté d'imagination et respecter la vérité historique, s'attachent à des personnages secondaires (Hugo dans *Notre-Dame de Paris*).

☐ Pour certains, l'histoire enrichit le roman d'une réflexion sur les évolutions de la société : Vigny cherche les « erreurs » qui ont conduit à la Révolution ; Hugo présente les grandes étapes qui ont permis à l'humanité de progresser. Pour d'autres, comme Gautier et Mérimée, l'histoire frappe l'imagination en ressuscitant une époque disparue : Gautier, pour raconter la vie des comédiens au XVIIe siècle (*Le Capitaine Fracasse),* utilise leur langage.

Roman sur le peuple et roman populaire

☐ À partir de 1830, les romantiques s'engagent dans la bataille politique et mettent leurs œuvres au service du peuple. Ils décrivent sa misère mais le réalisme est limité par leur vision, très morale ; ils idéalisent le peuple : ses vices viennent de la misère ; au fond, il est bon et généreux.

☐ Parallèlement se développe un genre populaire : le roman-feuilleton. Son succès est considérable, même si la qualité littéraire est inégale ; quelques auteurs se distinguent : Eugène Sue (1804-1857) peint la vie du peuple parisien, Paul Féval (1817-1887) et Alexandre Dumas (1802-1870) exploitent la veine historique ; le récit, très vivant, intègre de nombreux dialogues et recherche des effets de mise en scène, notamment chez Dumas.

LES ROMANCIERS DE L'HISTOIRE

Le goût de l'Histoire est une caractéristique majeure du romantisme. L'apparition du roman historique coïncide avec la chute de Napoléon et le retour de la royauté. Cette émergence correspond à la renaissance du sentiment national.

■ Vigny (1797-1863) : le regard de l'aristocrate

Alfred de Vigny, nostalgique de la grandeur morale aristocratique, fait dans ses trois romans « l'épopée de la désillusion ». Il évoque dans *Cinq-Mars* (1826) la vieillesse humiliée par la monarchie absolue. Il illustre la solitude morale du génie dans *Stello* (1832) et dit la détresse du soldat, troisième paria de la société moderne, dans *Servitude et grandeur militaires* (1835).

■ Dumas (1802-1870) : le sens du pathétique

Alexandre Dumas choisit une histoire romancée et vivante. Le lecteur se trouve ainsi pris dans un tourbillon d'aventures jusqu'au dénouement. Les héros sont volontaires, courageux et sympathiques. Dumas, soucieux de couleur et de pittoresque, écrit dans un style plein de théâtralité : le destin particulier de ses héros rejoint régulièrement l'Histoire, ce qui donne à nombre de ses scènes une importance cruciale et une dimension pathétique.

■ Mérimée (1803-1870) : le souci du pittoresque

Mérimée recherche dans l'histoire les anecdotes, « ces petits faits vrais » qui passionnent le lecteur et révèlent en profondeur la mentalité d'une époque. Il appelle ses romans, « chroniques ».
Pour dénicher ses sujets, Mérimée, qui est inspecteur des monuments historiques, voyage, enquête, se livre à des prospections méthodiques pour donner à ses romans un air d'objectivité.

■ Hugo (1802-1885) : le souffle épique

Par ses romans qui baignent dans une atmosphère quasi mythologique, Victor Hugo est le plus proche du modèle des romanciers historiques, Walter Scott.
Dans *Notre-Dame de Paris,* il fait revivre une fresque historique sur fond d'intrigues et de décors médiévaux souvent inquiétants. Tout le peuple des pauvres et des parias (truands, monstres, bohémiens) se retrouve dans une évocation spectaculaire et mythique de Paris.

Les principaux romans romantiques
— Vigny : *Cinq-Mars* (1826) ; *Stello* (1832).
— Hugo : *Notre-Dame de Paris* (1831) ; *Les Misérables* (1862), *Quatre-Vingt Treize* (1874).
— Sand : *Lélia* (1833) ; *La Mare au diable* (1846).
— Gautier : *Mademoiselle de Maupin* (1835) ; *Le Capitaine Fracasse* (1863).
— Musset : *La Confession d'un enfant du siècle* (1836).
— Mérimée : *Colomba* (1840) ; *Carmen* (1845).
— Dumas : *Les Trois Mousquetaires* (1844).

| MOYEN ÂGE |
| XVIᵉ SIÈCLE |
| XVIIᵉ SIÈCLE |
| XVIIIᵉ SIÈCLE |
| **XIXᵉ SIÈCLE** |
| XXᵉ SIÈCLE |

Les historiens à l'époque romantique

> Le climat d'instabilité politique entre 1789 et 1815, ajouté au sentiment d'une accélération de l'Histoire, conduisent les romantiques à s'intéresser à l'analyse historique.

Une inspiration nouvelle

☐ En 1802, la publication du *Génie du christianisme* de Chateaubriand provoque un intérêt nouveau pour le travail historique. Visant à réhabiliter le christianisme, il fait le bilan des services rendus par la religion chrétienne à l'humanité : vantant les vertus héroïques de la chevalerie et la beauté de l'art gothique, il fait naître le goût du Moyen Âge. Il oriente aussi la curiosité vers l'histoire nationale.

☐ Le pittoresque et la sensibilité aux choses vécues passionnent les historiens qui voient dans les romans un nouveau type d'écriture historique.

La résurrection du passé

☐ Augustin Thierry (1795-1856) a le souci d'une narration vivante et dramatique. Sa cécité éveille en lui le goût de revivre en imagination les grandes scènes du passé. En 1840, dans son ouvrage le plus populaire, *Récits des temps mérovingiens,* il propose une succession d'épisodes centrés sur un seul personnage.

☐ Adolphe Thiers (1796-1884), avocat et homme d'État, s'intéresse à tout ce qui constitue la vie d'une société, les événements économiques, financiers et diplomatiques, avec un souci constant de clarté et d'exactitude (il va jusqu'à donner le prix du pain et du savon). Selon lui, l'historien doit éviter toute recherche de style.

Une mutation idéologique

Certains historiens, principalement Michelet et Guizot, prennent parti pour les idées libérales et montrent la grandeur de l'histoire révolutionnaire ; au nom du progrès, ils défendent la lutte et les révoltes des peuples en vue de leur libération.

La philosophie des événements

☐ Guizot, Tocqueville et Michelet ne cherchent pas à raconter les faits mais à expliquer leur succession en établissant des lois historiques. Se dessine ainsi le sens de l'Histoire avec lequel doit s'accorder la politique.

☐ Guizot trouve dans l'étude historique la confirmation de ses idées politiques : le gouvernement doit désormais appartenir à la bourgeoisie qui défend les intérêts nationaux.

☐ Sous les faits, Tocqueville voit l'annonce du triomphe de la démocratie, amorcé dès l'Ancien Régime et poursuivi par la Révolution française, déjà réalisé aux États-Unis, encore en gestation en France.

☐ Pour Michelet, l'Histoire tend à la libération progressive de l'humanité. L'homme se forge lui-même en luttant contre la nature, contre la matière et la fatalité. Dans cette émancipation humaine, la France est appelée à jouer un rôle privilégié.

MICHELET :
l'Histoire intégrale

Jules Michelet
Né en 1798 à Paris
Mort en 1874 à Hyères

Études : agrégé de lettres.
Métiers : professeur de philosophie et d'histoire à l'École normale supérieure, à la Sorbonne, au Collège de France ; chef de la section historique aux Archives royales (1821).
Combats idéologiques : il lutte contre l'Église (à partir de 1842-1843) et défend la cause démocratique (contre la misère des ouvriers et pour l'union des classes).

■ *Histoire de France* (1833-1874)

L'œuvre vaut par la justesse de certaines analyses, mais surtout par la richesse de l'écriture : Michelet multiplie les détails pittoresques qui animent son récit. Il devient lyrique pour célébrer les grandes figures nationales, spécialement Jeanne d'Arc qui, à ses yeux, exprime la volonté populaire.
Pourtant, il manifeste parfois un parti pris étonnant : son *Histoire de France* s'arrête après l'Empire, car la Restauration ne lui paraît pas aller dans le sens de l'Histoire.

■ Le souffle de l'Histoire

Pour obtenir une « résurrection totale du passé », Michelet fait appel à son imagination. Les documents qu'il consulte sont pour lui des « vies d'hommes, de provinces, de peuples ». Il s'attache à exalter les temps révolus par un sens inné du grandiose et du surhumain ; il redonne en images le tumulte des batailles et des révoltes de rues et transforme en symboles les grandes figures de l'histoire : Vercingétorix, Charlemagne...

La phrase de Michelet est haletante comme le souffle qu'il veut donner à ses récits. Il n'hésite pas à employer des métaphores puissantes.

La science historique, institution nationale

La monarchie de Juillet s'attache à ériger la science historique en institution nationale. Des sociétés sont créées : la Société française d'archéologie (1830). Des écoles spécialisées sont fondées : l'école des Chartes (1816) ; l'école d'Athènes (1846) ; en même temps, l'enseignement secondaire et supérieur donne une plus large place à l'Histoire. En 1837 est créée une commission des Monuments historiques destinée à faire l'inventaire des richesses nationales. Des disciplines spécialisées apparaissent : l'égyptologie avec Champollion (qui déchiffre les hiéroglyphes en 1822), l'orientalisme, la numismatique et la paléographie.

MOYEN ÂGE
XVIᵉ SIÈCLE
XVIIᵉ SIÈCLE
XVIIIᵉ SIÈCLE
XIXᵉ SIÈCLE
XXᵉ SIÈCLE

Les formes oniriques du romantisme

Le goût des atmosphères fantastiques, hérité de l'Angleterre et de l'Allemagne, anime les romantiques français ; ils en retiennent le sens du mystère et de l'évasion vers le rêve et la féerie.

▬ Les sources du fantastique : légendes et rêves

☐ Le fantastique mélange le réel et l'imaginaire. L'imagination se nourrit de mythologie et de légendes : apparition de divinités et d'êtres merveilleux (fées, monstres, chimères) et représentations de la vie après la mort (les enfers de l'Antiquité, le Ciel et l'Enfer du christianisme). Nerval établit des correspondances entre les divinités et l'Antiquité et les figures du christianisme (Isis et la Vierge).

☐ La source la plus riche du fantastique est néanmoins le rêve : trésor extraordinaire à la portée de tous, qui confond et transforme les données du réel ; la demi-conscience est un état privilégié de confusion du réel et des rêves.

▬ Que rechercher dans cet univers étrange ?

☐ Nodier y voit un moyen de renouveler le romantisme en recherchant les sensations fortes : dans les légendes populaires et dans le rêve, l'imagination crée des situations extrêmes et les sentiments apparaissent avec toute leur force.

☐ Cette exploration permet surtout d'atteindre le monde véritable, dont le monde sensible n'est qu'un reflet. Dans cet autre monde, le sort individuel se confond avec celui de l'humanité. Une fée guide le poète dans cette découverte : la fée aux miettes chez Nodier, diverses figures féminines chez Nerval, Ondine chez Aloysius Bertrand.

☐ Pour Nerval, le monde des rêves est un refuge où se résolvent tous les remords et toutes les angoisses ; il ressuscite le bonheur passé, permet d'être compris, offre enfin l'image de la femme idéale : mère, épouse et divinité. Le monde réel et familier est lui aussi transformé : la conscience du poète fait apparaître la mystérieuse correspondance qui l'unit au monde surréel du rêve. Tout prend un aspect double, tout devient signe et symbole.

▬ L'écriture du rêve

☐ Comment donner à l'écriture la souplesse du rêve et des songes ? Nodier opte pour la nouvelle, qui prend la dimension du roman avec *La Fée aux miettes*. Nerval pratique aussi la nouvelle mais cultive une écriture étrange. Il recherche les effets poétiques, par des associations de mots inattendues et par des sonorités inhabituelles : le pouvoir de suggestion des formules ainsi créées dépasse le contenu intelligible. De plus, pour donner l'impression de légèreté et de fluidité, il mêle sans cesse réel et imaginaire en confondant tous les temps : présent et futur.

☐ Àloysius Bertrand va encore plus loin : il invente le poème en prose qui, par ses espaces blancs et la souplesse de son rythme, exprime les mouvements de la pensée.

NERVAL :
entre rêve et folie

Gérard Labrunie
Pseudonyme :
Gérard de Nerval
Né en 1808 à Paris
Mort en 1855 à Paris,
pendu à une grille

Amour : Jenny Colon, chanteuse et actrice, rencontrée en 1834 ; en 1838, elle épouse un flûtiste de l'Opéra Comique et meurt en 1842.
Voyages : Italie, Belgique, Allemagne, Autriche entre 1834 et 1840 ; Égypte, Liban, Syrie, Turquie en 1843.
Signe particulier : crises de folie qui le conduisent à plusieurs séjours chez le docteur Blanche (qui soigne aussi Maupassant) entre 1851 et 1855.

■ *Les Chimères* (1854)

Le poète garde le souvenir de son bonheur et de ses amours passées, mais s'interroge sur sa véritable identité. Delphica, femme idéale, l'invite à retrouver « l'ordre des anciens jours » à travers le désordre du présent. Beaucoup d'allusions savantes et d'ellipses donnent un style haché et souvent obscur, mais novateur et musical.

■ *Sylvie* (1854)

Trois figures de femmes apparaissent : Adrienne, la religieuse sublime, Aurélia, la puissance infernale, et Sylvie, la paysanne de l'enfance de Nerval. Pour le narrateur, la quête du bonheur aboutit à un échec : l'amour lui échappe car il refuse de le saisir quand il se présente. Mais l'œuvre est une réussite : le texte entrelace subtilement les temps (passé, présent, futur), le réel et les songes.

■ *Aurélia* (1855)

Alors interné dans le service psychiatrique du docteur Blanche, Nerval décrit ses hallucinations et essaye de les ordonner ; il y voit une expérience mystique qui le met en communication avec les mondes invisibles. Le récit se présente comme la quête d'une femme qui doit lui ouvrir la voie du salut éternel. Après l'avoir cherchée au ciel, en vain, le narrateur rencontre les formes du monde infernal (âmes des morts et dieux). Finalement, une divinité souriante (à la fois la Vierge, Isis, Aurélia et la mère du poète) le délivre de ses angoisses et lui apporte un éphémère triomphe.

Les Chimères :
signification d'un titre

La chimère est un animal mythologique fascinant, monstre qui crache du feu, considéré comme un être maléfique. Pour Nerval, la femme est ainsi à la fois attrayante et redoutable.
Le pays des chimères est aussi le monde onirique qui correspond au monde surnaturel créé par Nerval où tout se lie (passé, présent, sons, lumières, couleurs...).

MOYEN ÂGE

XVIᵉ SIÈCLE

XVIIᵉ SIÈCLE

XVIIIᵉ SIÈCLE

XIXᵉ SIÈCLE

XXᵉ SIÈCLE

Entre romantisme et réalisme

Les œuvres de Balzac et de Stendhal se rattachent au romantisme, par la volonté de représenter la totalité de la société (Balzac) ou par les figures des héros (Stendhal). Mais apparaît aussi, dans la précision des descriptions, dans la sévérité du jugeaent sur la société ou dans leurs styles, une dimension réaliste.

■■■ Dresser l'inventaire de la société

☐ Par *La Comédie humaine,* Balzac a le désir d'écrire une histoire des mœurs. Il fait reposer son analyse sur l'idée que l'humanité est comparable à l'animalité : il existe une similitude entre les espèces sociales et les espèces zoologiques ; les unes et les autres se définissent par l'apparence physique et par les comportements qui manifestent les modes de vie, les façons de penser et la nature des individus.

☐ Partageant l'ambition des romantiques, Balzac représente la totalité de la société ; il pénètre toutes les classes sociales et tous les métiers enracinés dans leur environnement (2 000 personnages se croisent et se rencontrent). Des puissances sociales nouvelles apparaissent : la presse qui use à l'excès de son pouvoir tyrannique sur l'opinion, la bureaucratie toute-puissante dirigée par des incapables et la haute finance qui se lance à la conquête du monde.

■■■ Des procédés narratifs réalistes

☐ La description balzacienne vise à montrer les relations secrètes entre les hommes et leur milieu : la description de l'environnement laisse souvent deviner le caractère de l'individu décrit ensuite. Balzac établit entre eux des convergences souvent caricaturales et pleines d'ironie.

☐ Le roman balzacien est toujours construit selon le même schéma : présentation minutieuse et lente, crise subite qui déclenche les passions et dénouement spectaculaire. Cette composition traduit la volonté balzacienne d'expliquer le mouvement de la société.

■■■ Stendhal, romantisme et esprit critique

☐ Stendhal, par sa grande sensibilité, semble être l'écrivain romantique par excellence. Défenseur du plaisir, il prône un théâtre qui contente le peuple : une comédie gaie jusqu'au fou rire, une tragédie nationale qui crée « l'illusion parfaite ». Il engage la lutte contre le théâtre classique et participe à la bataille d'*Hernani.* À la recherche de son identité, il pratique le genre autobiographique dans des œuvres qui restent inachevées. Fasciné par les passions, il étudie leur mécanisme et pense qu'elles enrichissent ceux qui les éprouvent, leur faisant goûter des sensations exaltantes.

☐ Pourtant, chez Stendhal, les états d'âme romantiques sont vus à travers le regard critique du siècle des Lumières : sans être condamnée, la passion est analysée, démystifiée, au point de sembler ridicule. Cette critique du romantisme apparaît particulièrement dans la structure narrative de l'œuvre : l'auteur intervient dans le roman pour commenter la fiction et inviter le lecteur à faire de même.

BALZAC :
le scribe de son temps

Honoré Balzac
puis **Honoré de Balzac**
Né en 1799 à Tours
Mort en 1850 à Paris

Études : droit.
Amours : Laure de Berny en 1822 (elle a 45 ans, lui 23) ; la duchesse d'Abrantès (elle a 40 ans, lui 26) ; Ève Hanska, comtesse russe qu'il épouse le 14 mars 1850, quelques semaines avant sa mort.
Affaires : projets mirobolants dans lesquels il engouffre des fortunes : fondation d'une maison d'édition et d'une fonderie de caractères qui échouent lamentablement (1828), rachat d'un journal, *La Chronique de Paris,* bientôt mis en liquidation (1836).

■ **La structure de *La Comédie humaine***

À partir du *Père Goriot* (1834), les personnages reviennent d'un roman à l'autre. Le plan général est conçu en 1845 : Balzac a écrit 91 des 137 ouvrages envisagés ; il a créé 2 000 des 3 000 à 4 000 personnages prévus.
Première partie : *Études de mœurs*
1. *Scènes de la vie privée :* 28 romans dont *Gobseck* (1830), *Le Père Goriot* (1834).
2. *Scènes de la vie de province :* 11 romans dont *Eugénie Grandet* (1832), *Le Lys dans la vallée* (1835), *Les Illusions perdues* (1838).
3. *Scènes de la vie parisienne :* 15 romans dont *Splendeurs et misères des courtisanes* (1839), *La Cousine Bette* (1846), *Le Cousin Pons* (1847).
4. *Scènes de la vie politique :* 4 romans dont *Une ténébreuse affaire* (1841).
5. *Scènes de la vie militaire :* 2 romans dont *Les Chouans* (1829).

6. *Scènes de la vie de campagne :* 3 romans dont *Le Médecin de campagne* (1833), *Le Curé de village* (1838).
Deuxième partie : *Études philosophiques.* 22 romans dont *La Peau de chagrin* (1831), *Louis Lambert* (1833), *La Recherche de l'Absolu* (1833).
Troisième partie : *Études analytiques.* 2 romans dont *La Physiologie du mariage* (1829).

■ **Une écriture longtemps incomprise**

L'écriture de Balzac, originale, fut souvent qualifiée de lourde et de maladroite. Les critiques, grammairiens pointilleux, ont relevé les moindres fautes de français et ont incriminé la vitesse d'écriture de Balzac. Il écrivait vite mais se corrigeait beaucoup, exigeant jusqu'à dix épreuves successives avant d'autoriser l'impression de ses œuvres. Plutôt que maladresse, il faut voir, dans l'écriture de Balzac, un travail original de recréation de la langue française, à la manière de Rabelais, son maître.

| MOYEN ÂGE |
| XVIe SIÈCLE |
| XVIIe SIÈCLE |
| XVIIIe SIÈCLE |
| **XIXe SIÈCLE** |
| XXe SIÈCLE |

Précurseurs de l'esthétique réaliste

Stendhal et Mérimée ont entretenu d'étroites relations d'amitié. Précurseurs d'une esthétique nouvelle, ils refusent le lyrisme et recherchent le détachement, objectif ou ironique.

La quête du bonheur ou « beylisme »

À l'image de leur créateur, les principaux personnages de Stendhal poursuivent le bonheur : vivre selon les élans du cœur ; le temps alors s'abolit dans un éternel présent. Mais le bonheur ne s'attend pas passivement ; il se conquiert. Pour l'atteindre, le héros s'entraîne en accomplissant de petits actes de volonté qui lui permettront, à des heures plus graves, de prendre des décisions radicales et de s'affranchir des conventions sociales et morales. Seule une liberté totale permet à l'homme d'être vraiment lui-même.

La révolte politique et sociale

☐ Le cadre géographique des œuvres de Stendhal est la France ou l'Italie que connaît bien l'auteur ; l'action est toujours contemporaine. Des événements historiques apparaissent, comme la bataille de Waterloo, mais Stendhal s'attache d'abord à la peinture sociale de l'époque qu'il choisit.

☐ Les intentions satiriques de Stendhal sont évidentes : l'Église est conservatrice et méfiante, l'aristocratie futile, la bourgeoisie mesquine. Tous les héros protestent avec une même ardeur contre la bassesse du monde.

Un style réaliste

☐ Stendhal se démarque du style romantique emphatique et contrasté. Il recherche un style objectif, clair et simple, qui dise la réalité avec précision. Pour s'exercer à la logique et à la clarté lorsqu'il composait *La Chartreuse de Parme,* Stendhal lisait quelques pages du Code civil.

☐ Le dépouillement n'empêche pas la poésie ; la phrase peut être musicale et la concision favorise la suggestion, plus évocatrice qu'une longue description.

La perfection de la nouvelle

☐ Mérimée fixe l'esthétique de la nouvelle réaliste. La composition subtile de l'œuvre (concision, effets de retardement...) doit éveiller chez le lecteur une émotion forte et intense. Tous les détails, choisis avec discernement, doivent être utiles au dessein d'ensemble. Les personnages sont peints en quelques traits et sont essentiellement décrits par leurs actes.

☐ Mérimée choisit souvent d'écrire à la première personne, mais il conserve un point de vue extérieur, à la manière de Stendhal ; de la sorte, il donne l'impression de raconter une histoire à son lecteur.

STENDHAL :
une distance ironique

Henri Beyle

Pseudonyme : Stendhal (nom d'une petite ville allemande)
Né en 1783 à Grenoble
Mort en 1842 à Paris

Carrière : dans l'armée (secrétaire au ministère de la Guerre ; participe à la campagne d'Italie, à la campagne de Russie) ; en politique (au conseil d'État, consul à Trieste, puis à Civita-Vecchia) dans l'administration (auxiliaire à la Bibliothèque nationale).

Amours : Métilde Dembrowski, qui repousse ses avances ; la comtesse Curial, qui lui préfère son rival... et beaucoup d'autres.

nutieuse de tous les sentiments qui composent la passion nommée amour ». L'auteur y étudie avec une précision de scientifique les étapes du sentiment amoureux. La phase la plus importante de l'amour est pour lui la cristallisation, véritable loi psychologique. Elle correspond au moment amoureux où l'on pare l'être aimé de perfection — comme « un rameau effeuillé par l'hiver » s'enrichit « de cristallisations brillantes » dans les mines de sel de Salzbourg, dit-il dans *De l'amour*. La cristallisation, qui demande du temps, s'oppose au coup de foudre, instantané.

Une rue de Vérone.

■ Les grands romans stendhaliens

— *Le Rouge et le Noir* (1830) : premier chef-d'œuvre de Stendhal. Parti d'un fait divers réel, Stendhal retrace le destin exemplaire de Julien Sorel, d'origine modeste mais instruit, rejeté par la société légitimiste du XIXᵉ siècle qui préfère l'argent et la naissance au mérite.
— *Lucien Leuwen* (1834, inachevé) : roman autobiographique et satire acerbe des mœurs françaises sous la monarchie de Juillet.
— *La Chartreuse de Parme* (1839) : le personnage de Fabrice del Dongo est inspiré d'Alexandre Farnèse que Stendhal place dans le contexte de l'Italie du XIXᵉ siècle ; il décrit la bataille de Waterloo qu'il rêvait de raconter depuis longtemps et condamne à nouveau la tyrannie mesquine de la noblesse.

■ *De l'amour* (1822)

Cet essai psychologique se présente « comme une description détaillée et mi-

Un pari gagné

Stendhal n'eut guère de succès en son temps. Seule une vingtaine d'exemplaires du traité *De l'amour* sont vendus. Les deux premières éditions de *Le Rouge et le Noir* sont tirées à 750 exemplaires, *La Chartreuse de Parme* à 1 200 exemplaires. Dans *La Vie d'Henri Brulard*, Stendhal écrit : « Je mets un billet de loterie dont le gros lot se réduit à ceci : être lu en 1935. »

MOYEN ÂGE

XVIᵉ SIÈCLE

XVIIᵉ SIÈCLE

XVIIIᵉ SIÈCLE

XIXᵉ SIÈCLE

XXᵉ SIÈCLE

La poésie parnassienne

En réaction contre le romantisme, se développe un courant qui s'attache à « l'art pour l'art ». Il a pour précurseur Théophile Gautier ; ses idées vont trouver leur prolongement avec Leconte de Lisle et le groupe de poètes qui se réunit autour de lui à partir de 1860 : ce sont les poètes parnassiens.

L'art pour une élite

☐ Théophile Gautier réagit contre les romantiques qui, après 1830, mettent la poésie et la littérature au service de la politique et de l'action sociale : « Dès qu'une chose devient utile, elle cesse d'être belle ».

☐ La poésie, gratuite, s'attache aux recherches formelles et les poètes considèrent la Beauté comme un idéal à atteindre. Seule une élite, capable d'une réflexion sur les problèmes esthétiques et métaphysiques, peut y prétendre. À la fin du siècle, le culte de la poésie hermétique dérive directement de cette conception.

Le culte du travail pour la perfection de la forme

☐ Les Parnassiens combattent l'idée romantique de l'inspiration qui dispense du travail et aboutit trop souvent, selon eux, à un style négligé. Le travail est indispensable ; la difficulté formelle contribue à créer la beauté du poème.

☐ Ils reviennent aux formes fixes : Hérédia écrit des sonnets (comme au XVIᵉ siècle), Banville des ballades et des rondeaux (comme au Moyen Âge). Le vocabulaire fait l'objet d'une attention particulière : recherche du mot ou de l'expression justes.

Rechercher l'impersonnalité

☐ Le culte des sentiments du romantisme, particulièrement chez Musset, leur paraît excessif. Les Parnassiens recherchent l'impersonnalité et adoptent un style descriptif, extérieur et objectif. La nature est traitée comme une peinture : le poète recherche les harmonies de couleurs et les effets de chatoiement (bijoux, métaux brillants et précieux).

☐ Les Parnassiens puisent aussi leur inspiration dans les découvertes archéologiques, s'efforçant de ressusciter les civilisations disparues. Ils évitent d'utiliser l'imagination et s'appuient sur la documentation la plus récente. De manière générale, ils manifestent de l'intérêt pour les sciences exactes : la poésie de Sully Prudhomme se veut scientifique et philosophique.

Créer une émotion éternelle

☐ Les Parnassiens protestent contre l'accusation d'impassibilité : ils prétendent atteindre les plus grandes émotions à travers une poésie sereine aux lignes pures. La Grèce antique leur offre le modèle esthétique et philosophique de l'harmonie et de la pureté, deux idéaux auxquels tous les hommes sont sensibles.

☐ Chez certains, le premier élan romantique reparaît : Leconte de Lisle donne aux personnages des civilisations perdues une flamme amoureuse et des élans politiques qui rappellent le style romantique.

GAUTIER :
le culte de la beauté

Théophile Gautier
Né en 1811 à Tarbes
Mort en 1872 à
Neuilly-sur-Seine

Études : peinture dans un atelier.
Surnom familier : le bon Théo.
Amitiés : Gérard de Nerval (camarade au collège Charlemagne) ; Hugo, qui compose à sa mort « Tombeau de Théophile Gautier » ; Baudelaire, qui lui dédie *Les Fleurs du mal*.

■ *Mademoiselle de Maupin* (1835-1836)

La préface, brillante, est un assemblage des morceaux de bravoure que sont les pamphlets de Gautier contre la presse et les critiques. Gautier s'y moque des reproches d'immoralité adressés aux artistes : pour lui, l'art est un simple reflet des mœurs et n'influe pas sur la morale collective.
Dans le roman, Mademoiselle de Maupin se travestit en cavalier et recherche des émotions fortes pour s'amuser... Illustration des idées de la préface : elle représente la revendication romantique d'une liberté totale et le désir de faire de « l'art pour l'art » en dépit de toute référence morale. Seule compte la Beauté, et l'art n'a donc rien à voir avec la morale.

■ L'œil du peintre

Les vers de Théophile Gautier naissent le plus souvent d'images que son esprit transforme en symboles : par exemple, la sève qui coule du pin éventré lui suggère une comparaison avec le cœur blessé du poète qui s'épanche.
Gautier cherche avant tout à rendre les effets de lumière et de perspective, les lignes, les reliefs et les couleurs. Il s'inspire parfois d'un tableau, d'un pastel ou d'une aquarelle, non pour les décrire comme le font souvent les poètes, mais pour en imiter la beauté plastique par la perfection du langage. Il reproduit la composition du tableau par la composition du poème, traduit les couleurs en images.... Dans *Émaux et Camées* (1852), il crée de petits poèmes aux vers courts, raffinés, travaillés, ciselés comme de petits bijoux, visant la plastique avant le sens.

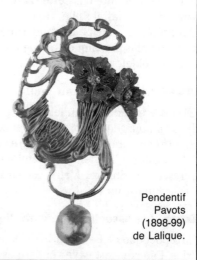

Pendentif
Pavots
(1898-99)
de Lalique.

Principales œuvres parnassiennes
— Théophile Gautier : *Émaux et Camées* (1852).
— Leconte de Lisle : *Poèmes antiques* (1852), *Poésies barbares* (1862), *Poèmes tragiques* (1884).
— Théodore de Banville : *Odes funambulesques* (1857), *Petit traité de poésie française* (1872).
— François Coppée : *Le Reliquaire* (1866).
— Catulle Mendès : *Odelette guerrière* (1871).
— Sully Prudhomme : *La Justice* (1878).
— José-Maria de Hérédia : *Les Trophées* (1893).

MOYEN ÂGE

XVIᵉ SIÈCLE

XVIIᵉ SIÈCLE

XVIIIᵉ SIÈCLE

XIX· SIÈCLE

XXᵉ SIÈCLE

La modernité poétique

La poésie de Baudelaire ouvre la voie de la modernité poétique : elle fait la synthèse entre la conception poétique du romantisme, l'exigence formelle du mouvement de « l'art pour l'art » et les descriptions concrètes du réalisme ; Baudelaire invente de nouveaux rapports entre l'émotion et le langage.

Une conception nouvelle de la poésie

☐ Pour Baudelaire, le poète doit déchiffrer les signes qui l'entourent et trouver le sens secret du monde. Cette signification supérieure, qu'il atteint alors, comble son aspiration à l'infini ; elle s'appelle Beauté.

☐ Il prône le principe de modernité : le poète tire toute la puissance sublime de la réalité la plus prosaïque ; même une charogne ou les bas quartiers de Paris peuvent être des objets poétiques.

Les tensions du monde

☐ Dans le monde de Baudelaire, l'homme est toujours partagé entre le bien et le mal : dans l'amour, entre spiritualité et sensualité ; dans les relations avec autrui, entre charité et cruauté ; avec Dieu, entre vénération et blasphème.

☐ La réalité elle-même est ambiguë et présente à l'homme son double visage, attrayant et sinistre. L'être est sans cesse déchiré entre la tentation du gouffre et l'aspiration à un idéal.

Les associations symboliques

☐ La poétique de Baudelaire est classique : poèmes à formes fixes (sonnets), et alexandrins. Elle contraste avec la hardiesse des associations d'images : le poète condense le maximum de sensations dans une expression minimale, cultivant l'ellipse et jouant sur les valeurs symboliques des réalités exprimées.

☐ Reprenant le système des correspondances cher aux romantiques allemands, Baudelaire confond les sensations entre elles. Ainsi l'âme peut boire « à grands flots le parfum, le son et la couleur ».

Un genre nouveau : le poème en prose

☐ Il s'attaque aussi à un genre poétique nouveau : le poème en prose. En prenant pour modèle Aloysius Bertrand (1807-1841), précurseur du genre avec *Gaspard de la nuit* (1842, posthume), il veut faire du poème en prose « la forme par excellence de la poésie moderne et urbaine ».

☐ Le poème en prose recherche, comme en poésie, les effets de rythme et de sonorité, un vocabulaire rare et imagé, mais il garde la souplesse de la prose qui permet de s'adapter « aux mouvements lyriques de l'âme, aux ondulations de la rêverie ». Pour remplacer les vers et les strophes, le poète varie la longueur des paragraphes et diversifie les sujets abordés avec beaucoup de liberté.

BAUDELAIRE :
le conflit perpétuel

Charles Baudelaire
Né en 1821 à Paris
Mort en 1867 à Paris

Enfance : premières années heureuses auprès d'un père cultivé qui meurt en 1827. L'année suivante, sa mère se remarie avec le commandant Aupick, que Baudelaire n'aima jamais.

Voyages : île Maurice et île Bourbon (la Réunion) ; Belgique, où il vit de 1864 à 1866.

Amours : Jeanne Duval, actrice de boulevard antillaise (liaison intermittente pendant vingt-trois ans) ; Marie Daubrun (image de la femme-enfant) ; Apollonie Sabatier (à qui Baudelaire voue un culte quasi mystique, et qu'il abandonne le lendemain de leur première union physique).

Admirations : Poe, Gautier, Delacroix, Wagner.

Signe particulier : fume de l'opium et du haschich.

■ *Les Fleurs du mal* : lutte entre Spleen et Idéal

Le drame de Baudelaire est la lutte entre deux principes, le spleen et l'idéal, c'est-à-dire « la chair avec l'esprit, l'enfer avec le Ciel, Satan avec Dieu ».

Le plan des *Fleurs du mal* suit la logique de l'itinéraire intérieur du poète.

L'Invocation au lecteur : le poète fait apparaître tous les visages du Mal, dénonce toutes les hypocrisies, celles du lecteur en particulier.

Spleen et idéal (85 pièces) : le spleen, mot anglais, désigne l'ennui, l'état d'angoisse et le dégoût physique et moral ; le poète décrit son enlisement progressif dans le spleen quotidien qui le tourmente en même temps que sa soif d'idéal. Le spleen l'emporte sur l'idéal.

■ Recherche d'un ailleurs

Le poète cherche alors, dans des expériences qui vont de plus en plus loin, un ailleurs où disparaîtrait le spleen : à travers la vie grouillante et misérable de Paris à laquelle il s'identifie (ce sont les 18 pièces des *Tableaux parisiens*) ; à travers le vin qui permet une certaine fraternité (*Le Vin*, 5 pièces) ; à travers les plaisirs charnels et l'homosexualité (*Les Fleurs du mal*, 9 pièces) ; après la tentation sensuelle, la tentation spirituelle : le damné se révolte contre Dieu et se livre à Satan (*Révolte*, 3 pièces) ; en dernier recours, se dresse la mort, espoir bien mince, d'atteindre l'idéal par l'au-delà et d'espérer un salut par la poésie (*La Mort*, 6 pièces).

■ Condamnation

Un mois après la mise en vente, le livre est saisi et Baudelaire est condamné à 300 F d'amende pour « outrage à la morale publique et aux bonnes mœurs ». Six pièces censurées ne reparaissent pas dans les éditions suivantes.

L'œuvre de Baudelaire

— Critiques d'art : *Salons de 1845, 1846, 1859* ; *Exposition universelle de 1855* ; *Richard Wagner et Tannhäuser* (1861) ; *Notes nouvelles sur Edgar Allan Poe* (1857).

— Traductions : *Histoires extraordinaires* de Poe ; *Nouvelles histoires extraordinaires* de Poe.

— Poésie : *Les Fleurs du mal* (1857) ; *Les petits poèmes en prose* (1869, posthume).

— Journal intime : *Fusées* ; *Mon cœur mis à nu.*

| MOYEN ÂGE |
| XVIe SIÈCLE |
| XVIIe SIÈCLE |
| XVIIIe SIÈCLE |
| **XIXe SIÈCLE** |
| XXe SIÈCLE |

Le roman réaliste

> Le réalisme est un mode d'expression littéraire qui caractérise certaines œuvres des années 1850-1870 ; elles se distinguent par un souci d'établir un rapport étroit avec le réel, qu'il soit naturel, social ou historique. Chez Flaubert, il se caractérise par la recherche d'objectivité et la disparition du narrateur.

Entre vérité et beauté

☐ Jules Champfleury (1821-1869), romancier et critique d'art, a été le premier à élaborer une doctrine réaliste, reproduction attentive et exhaustive des choses, du monde et de l'Histoire.

☐ Les frères Goncourt, Edmond (1822-1896) et Jules (1830-1870), retiennent cette précision extrême des détails, même sordides, pour « faire vrai » ; mais ils ont en même temps le souci de « faire beau » en dotant leur écriture d'artifices rhétoriques. Il en résulte une trop grande différence entre le style et le fond qui conduit leur œuvre à l'impasse.

Le document, matière du roman réaliste

☐ Le souci d'exactitude scientifique demande une documentation considérable. Les carnets de notes de Flaubert sont célèbres : il y consignait toutes ses remarques lorsqu'il voyageait ou lisait ; pour la rédaction de *Bouvard et Pécuchet,* roman inachevé, il a consulté plus de 1 500 volumes ; la rédaction de *Salammbô* l'a entraîné en Tunisie, sur les ruines de Carthage.

☐ Les écrivains réalistes cherchent parmi les documents ceux qui mettent le mieux en lumière l'interaction constante entre l'homme et son milieu, révélée par les sciences expérimentales et la sociologie.

Un regard médical

La médecine sert de modèle aux écrivains réalistes : Flaubert, dont le père était chirurgien, « dissèque » le personnage d'Emma Bovary ; la description des états d'âme de son héroïne est si juste qu'elle a donné son nom à un état psychologique, le bovarysme. De même, l'étude des névrosés a intéressé les frères Goncourt, qui leur ont consacré plusieurs romans.

Quelle écriture pour décrire le réel ?

☐ La question du style fut une des préoccupations fondamentales des romanciers réalistes, en particulier de Flaubert écrivant *Madame Bovary* : comment décrire l'ennui sans ennuyer ? En ne peignant pas la réalité mais l'impression qu'elle produit ; les paysages ne sont pas vus par le narrateur mais par les personnages : ils reflètent leurs états d'âme. Le regard extérieur du narrateur tend à disparaître.

☐ Flaubert ne renonce pas pour autant à la beauté ; il la reconnaît même comme seul but ; mais pour lui, elle n'existe pas seule : elle résulte d'un accord total entre la forme et la pensée.

FLAUBERT :
le réalisme surmonté

Gustave Flaubert
Né en 1821 à Rouen
Mort en 1880 à Croisset
(Normandie)

Amitiés : Louis Bouilhet, Maxime Du Camp, George Sand, Guy de Maupassant.
Amours : Elisa Schlesinger, femme d'un éditeur de musique, qu'il rencontre à 15 ans et qui restera une grande passion secrète ; Louise Colet, femme de lettres.
Voyages : Égypte, Palestine, Grèce (1849-1850) ; Tunisie (1858).
Signe particulier : lit ses textes dans une pièce à part, qu'il appelle son « gueuloir », pour entendre la musique de ses phrases et les corriger.

■ L'œuvre de Flaubert

La Tentation de saint Antoine (plusieurs versions : 1849, 1856, 1873) ; *Madame Bovary* (il y travaille de 1851 à 1856) ; *L'Éducation sentimentale* (1867) ; *Trois contes* (1877) ; *Bouvard et Pécuchet* (inachevé).
Une très belle correspondance, surtout avec Louise Colet et George Sand.

■ La description flaubertienne

La description est fondamentale chez Flaubert qui voulait écrire avec *Madame Bovary* « un livre sur rien [...] qui se tiendrait de lui-même par la force interne de son style ». Elle se caractérise par :
— son importance au détriment de l'action ;
— son sens symbolique ; les objets ont tous un rôle psychologique : la casquette de Charles Bovary, imposante et compliquée, montre la fierté inutile de son propriétaire, de même que les livres de médecine poussiéreux de sa bibliothèque dénoncent son incapacité médicale... Le bouquet de mariée d'Emma nous rappelle régulièrement la désillusion qu'est son mariage...
— l'ironie du romancier : la description lyrique des rêves mièvres d'Emma est à prendre au second degré ; par elle, Flaubert accuse son héroïne de sentimentalisme ;
— son rôle dans la progression de l'action : la valeur de la description n'est jamais purement décorative. Le point de vue adopté étant celui d'un personnage, elle nous révèle sa psychologie et prépare l'action. Elle montre la progression et l'évolution des états d'âme. Elle est elle-même récit.

Portrait de Delphine Couturier, qui a inspiré le personnage de Madame Bovary.

Maupassant, disciple de Flaubert

Maupassant (1850-1893), de presque trente ans plus jeune que Flaubert, est amené à le fréquenter durablement car sa mère est une amie d'enfance de Flaubert. Il lui confie son projet d'écrire ; Flaubert prend à cœur de lui enseigner le métier littéraire en lui imposant de véritables « gammes » : c'est-à-dire des exercices littéraires, qui consistaient, par exemple, à décrire un objet sous tous ses aspects dans un temps compté. Maupassant recommençait sans cesse jusqu'à ce que Flaubert soit satisfait.

MOYEN ÂGE

XVIᵉ SIÈCLE

XVIIᵉ SIÈCLE

XVIIIᵉ SIÈCLE

XIX• SIÈCLE

XXᵉ SIÈCLE

Le naturalisme

Le naturalisme prolonge le mouvement réaliste ; Zola en est le théoricien ; il rassemble autour de lui des écrivains réalistes : Paul Alexis, Henry Céard, Maupassant. En 1887, le groupe, en quête de renouvellement, éclate ; le naturalisme semble avoir atteint les limites du courant réaliste.

▬▬▬ Le choix du peuple

☐ Sans oublier les bourgeois auxquels se sont attachés les premiers réalistes, les naturalistes donnent leur préférence au peuple. Zola s'attache aux ouvriers et aux mineurs, Maupassant aux paysans normands et aux petits Parisiens, Vallès aux ouvriers. Le peuple apparaît dans toute sa misère : pauvreté, prostitution, alcoolisme, violence.

☐ Zola, le premier, adapte son style au sujet et fait parler les ouvriers dans une langue populaire.

☐ Cet attachement au peuple se manifeste aussi dans la vie des écrivains : engagement politique et participation aux mouvements socialistes naissants.

▬▬▬ L'expérimentation

☐ Les naturalistes se veulent des scientifiques. Ils observent le monde avec méthode, en dégagent des lois et se livrent à de véritables expérimentations ; ils confrontent des données réelles, conformément à des lois scientifiques, et observent la manière dont ces données évoluent.

☐ Le roman est le lieu de cette expérimentation. Son dénouement en donne le résultat. Zola, par exemple, combine l'analyse sociologique, qui montre l'influence du milieu sur l'individu, et les lois de l'hérédité : dans la famille des Rougon-Macquart, la folie de tante Dide est une tare qui pèse différemment sur tous ses descendants selon leur milieu et leurs désirs.

☐ Le souci scientifique nécessite de s'intéresser à des cas pathologiques (déchéance, alcoolisme, folie meurtrière) et situe presque toujours l'action dans un contexte de corruption morale qui a parfois choqué le public.

▬▬▬ Naturalisme et épopée chez Zola

☐ L'œuvre de Zola, réaliste, est habitée d'un souffle épique : certains objets sont métamorphosés en monstres fantastiques, animés d'une vie autonome, qui guettent et frappent leurs victimes (la mine dans *Germinal*), ou qui luttent et souffrent (la locomotive dans *La Bête humaine*). La foule est animée de mouvements fascinants ; diverse par les éléments qui la composent, elle est habitée par l'âme collective de ceux qui partagent la même détresse ou la même joie. De manière générale, Zola est attiré par la vie, qu'elle soit exubérante ou menacée de disparition.

☐ L'imaginaire de Zola est peuplé de rêves et de cauchemars : rêves de fécondité, de « germination », de puissance, cauchemars d'écroulement, de destruction, d'apocalypse. Cet univers se révèle sous la forme symbolique de mythes récurrents qui donnent à l'œuvre une dimension épique et visionnaire.

ZOLA : l'imagination réaliste

Émile Zola
Né en 1840 à Paris
Mort en 1902, asphyxié
accidentellement dans
son appartement

Nationalité : Italien ; naturalisé Français
en 1862.
Métier : journaliste (feuilletons et critiques
d'art).
Amours : double vie à partir de 1888 :
avec sa femme et avec une jeune
ouvrière, Jeanne Rozerot qui lui donne
deux enfants (que sa femme adopte à la
mort de Jeanne).
Admirations : les frères Goncourt, le
docteur Lucas (écrits sur l'hérédité),
Claude Bernard (*Introduction à la
médecine expérimentale*), Balzac.
Engagement politique : socialiste, il écrit
un article intitulé *J'accuse* pour défendre
Dreyfus. Condamné à un an de prison et
radié de la Légion d'honneur, il s'exile un
an en Angleterre.

■ La série des Rougon-Macquart

« Histoire naturelle et sociale d'une famille sous le Second Empire »
Le projet est conçu dès 1868. Zola fixe
en 1870 son programme de travail : vingt
romans, à raison d'un par an. Comme
dans *La Comédie humaine* de Balzac, les
personnages se retrouvent d'un roman à
l'autre.
Dans les premiers ouvrages, Zola présente la famille et la période. Par la suite,
il recherche l'harmonie et la variation par
l'alternance de romans tragiques et de
romans plus paisibles. Dans les derniers
ouvrages apparaît l'aboutissement de
l'évolution de la famille.
Les principaux romans du cycle :
L'Assommoir (1877) ; *Au bonheur des da-
mes* (1883) ; *Germinal* (1885) ; *La Bête
humaine* (1890).

■ Les personnages célèbres de Zola

Gervaise : femme du peuple, Gervaise
pardonne à son mari, Coupeau, d'avoir
sombré dans l'alcoolisme — jusqu'au
jour où elle perd courage, le trompe, se
retrouve à la rue, difforme, tentée par la
prostitution. Elle incarne la déchéance
fatale.
Nana : courtisane ambitieuse, elle est le
symbole de la luxure. Fille de Gervaise,
elle porte l'hérédité de l'alcoolisme de ses
parents. C'est « une plante superbe pous-
sée sur du fumier ». Elle est l'incarnation
de la vengeance de la misère sur la bourgeoisie : partout où elle va, elle brise des
vies humaines, des fortunes...
Étienne Lantier : ouvrier révolutionnaire
sérieux qui exerce un grand ascendant
sur ses compagnons. Il lutte contre le
capital, tout en se laissant aller à la réali-
sation de son ambition personnelle.

Zola, évocateur de foules

Zola évoque régulièrement dans son
œuvre les foules en mouvement, en
relevant la diversité des vêtements, des
attitudes, des visages : cohue des
ouvriers qui se hâtent vers leur travail,
agitation des spéculateurs de la Bourse
(*L'Argent*), charges de cavalerie (*La
Débâcle*).

| MOYEN ÂGE |
| XVI SIÈCLE |
| XVII SIÈCLE |
| XVIII SIÈCLE |
| **XIX SIÈCLE** |
| XX SIÈCLE |

Révolution du langage poétique

Rimbaud, Mallarmé et Lautréamont, très proches du mouvement symboliste, restent pourtant marginaux ; la brièveté de leur œuvre et la difficulté de leur style a découragé les imitateurs.

■■■■ La révolte contre la médiocrité

☐ Rimbaud, jeune et violent, s'en prend au conformisme social dès son adolescence. Ses premiers poèmes portent la trace de la révolte : il plaint les victimes de la guerre, peint le monde des pauvres et vilipende les fonctionnaires.

☐ Le héros de Lautréamont, Maldoror, éprouve un sentiment violent de révolte contre Dieu qui laisse l'homme dans sa médiocrité.

☐ Mallarmé, bien qu'homme rangé dans sa vie quotidienne, rejette toutes les mesquineries qui l'environnent.

☐ En art, Rimbaud, Lautréamont et Mallarmé bannissent toute forme d'imitation du réel qui voue les œuvres à la médiocrité ; l'inspiration est tirée des expériences intérieures. Ils rejettent l'usage courant du langage qui correspond à une vision utilitaire et superficielle de la réalité. Il faut, en poésie, utiliser un vocabulaire rare et transformer la syntaxe.

■■■■ L'Absolu révélé par le langage

☐ Le langage est l'outil d'exploration idéal d'un monde absolu ; utilisé tantôt avec calcul, tantôt au hasard, il fait apparaître, dans le chatoiement de ses sonorités, des rapprochements inattendus et évocateurs. Les mots exercent une véritable fascination sur les poètes : ils semblent doués d'une vie autonome.

☐ Chez Rimbaud, le poète « voyant » accède à un univers où tout est jaillissement ; dans *Le Bateau ivre,* s'accumulent les termes qui expriment le nouveau et l'inouï ; ce monde hallucinant est celui d'un visionnaire qui ouvre la poésie au genre humain.

☐ Chez Mallarmé, l'absolu est réservé à une élite, seule capable de s'élever à une réflexion métaphysique ; il est intemporel et froid. C'est un monde d'idées, de notions pures, à l'abri du hasard et de la mort.

■■■■ Échec ou réussite ?

☐ Rimbaud abandonne la littérature à 21 ans. Dans *Une saison en enfer* déjà, il constatait l'échec de la voyance et la nécessité d'accepter la réalité.

☐ Pour Mallarmé, le monde est fait pour aboutir à « un beau livre » ; à sa mort pourtant, désavouant son entreprise poétique, il demande qu'on brûle tous ses brouillons.

☐ Tous deux ont assigné à la poésie une fonction sublime mais ambitieuse, qui exigeait de « noter l'inexprimable » (Rimbaud). Ils n'ont pu mener à terme cette expérience mais, après leur mort, ils ont exercé une influence déterminante sur toute la poésie du XX siècle.

RIMBAUD et MALLARMÉ :
hermétisme et voyance

Arthur Rimbaud
Né en 1854 à Charleville
Mort en 1891 à Marseille

Enfance : ses parents se séparent en 1860 ; il vit avec une mère austère.
Maître : Izambard, professeur de rhétorique, encourage les aspirations poétiques de Rimbaud et lui transmet ses idées socialistes.
Vie amoureuse : avec Verlaine. En 1871, à 17 ans, il rencontre Verlaine, alors âgé de 27 ans. Pendant deux ans, ils mènent une vie de bohème en Belgique et à Londres. Rimbaud, qui veut partir, est blessé par Verlaine.
Métier : après avoir voyagé en Extrême-Orient et en Europe, il part pour l'Afrique où il s'occupe de commerce et de trafic, sans beaucoup de succès.
Œuvres : *Poésies* (1870-1871) ; *Lettre du voyant* (1871) ; *Derniers vers* (1872) ; *Une saison en enfer* (avril-août 1873) ; *Illuminations* (1873-1875).

Stéphane Mallarmé
Né en 1842 à Paris
Mort en 1898 à Valvins,
sa résidence
de campagne

Enfance : la disparition précoce de sa mère et de sa sœur provoque sa hantise de la mort.
Admirations : Edgar Poe, Baudelaire.
Métier : professeur d'anglais.
Vie littéraire : à partir de 1880, il réunit tous les mardis, chez lui, ses amis écrivains : Henri de Régnier, Valéry, Claudel, Gide.
Signe particulier : rythme moyen de production : 20 vers par mois.
Œuvres principales : 1871 : *Hérodiade*, drame lyrique, qui restera à l'état de fragments ; 1876 : *L'Après-midi d'un faune* ; 1887 : *Poésies* (35 poèmes) ; 1897 : *Divagations* dont *Un coup de dés jamais n'abolira le hasard* (poème en prose paru dans la revue *Cosmopolis*).

■ L'art poétique du voyant

Dans une lettre à son ami Paul Demeny, dite *Lettre du voyant,* Rimbaud proclame la nécessité pour le poète d'apporter du nouveau ; dans ce but, il s'impose « un long et raisonné dérèglement de tous les sens ». Le langage poétique s'en trouve renouvelé ; après Baudelaire, il établit des correspondances de moins en moins immédiates, mais de plus en plus justes, entre les diverses sensations. Il rêve même d'un langage universel alliant tous les sens, produit d'une « alchimie poétique ».

■ La magie du verbe

Mallarmé rêve de donner au langage le pouvoir d'exprimer l'Idée pure dont les formes sensibles ne sont que des émanations.
Il confond les données de plusieurs sens, non pas dans une simple correspondance, mais dans la fusion totale des mots, des images et de la musique. Ainsi s'opère une magie verbale étonnante mais très difficile d'accès.

Les poètes maudits

Verlaine révèle leurs noms : Corbière, Mallarmé, Rimbaud, Desbordes-Valmore, Villiers de l'Isle-Adam et lui-même ; on peut ajouter Nerval, Baudelaire et Lautréamont.
Ils sont les maîtres de la nouvelle poésie.

MOYEN ÂGE

XVIᵉ SIÈCLE

XVIIᵉ SIÈCLE

XVIIIᵉ SIÈCLE

XIXᵉ SIÈCLE

XXᵉ SIÈCLE

Le symbolisme

Le mouvement symboliste s'étend sur la seconde moitié du XIXᵉ siècle et repose sur l'idée que, derrière les apparences, se cache une réalité supérieure. On appelle école symboliste un groupe d'auteurs mineurs qui, à partir de « l'Art poétique » de Verlaine, définit vers 1885 un manifeste symboliste.

▰▰▰ Le symbole et son obscurité

☐ À la différence du symbole traditionnel où une image concrète (la colombe par exemple) évoque une idée abstraite bien définie (la paix), pour les symbolistes l'idée évoquée par le symbole n'existe pas en elle-même ; elle naît du rapprochement de sensations ou de réalité concrètes habituellement séparées. Le symbole permet donc de faire naître le monde des idées qui offre un ordre nouveau où les contradictions disparaissent.

☐ Le sens du symbole n'est pas explicite mais suggéré, d'où une certaine obscurité ; d'autant que les correspondances ne s'établissent pas d'un mot à une idée mais d'un ensemble de mots à un réseau d'idées. Mallarmé devient hermétique en rapprochant des mots dont la puissance évocatrice ne naît pas du sens mais de la seule « vibration sonore ».

▰▰▰ La conception symboliste : idéalisme et sensibilité

☐ L'école symboliste regroupe des écrivains souvent très différents qui ont pour point commun l'idéalisme, c'est-à-dire la volonté d'accéder, par le langage poétique, au monde des idées, au-delà du réel.

☐ Chez Verlaine, reconnu comme le père de cette école, l'idéalisme prend une forme particulière puisque le signe et la réalité à laquelle il renvoie sont mêlés : l'âme et le paysage vivent au diapason sans que l'on sache lequel des deux est métaphore de l'autre (« Il pleure dans mon cœur / Comme il pleut sur la ville »)

☐ Les poètes s'intéressent à toutes les sensations étranges qui peuvent révéler le monde des idées : la pénombre, le flou des rêves et des formes. Ils cherchent à créer un réseau évocateur dans lequel entrent en correspondance le mot, sa sonorité, les sens qu'il suggère. Tout doit contribuer à faire du poème une « symphonie ». Cette conception explique les rapports étroits qui unissent poètes symbolistes et musiciens.

▰▰▰ L'apport de l'école symboliste : le vers libre

Gustave Kahn (1859-1936) met à l'honneur le vers libre. Mallarmé et Laforgue l'utilisent : ils font fi des règles de longueur des vers (on trouve dans leurs poèmes des vers de plus de douze syllabes) et d'organisation des strophes ; les rimes s'estompent en finales assonancées, puis disparaissent. Les mots créent la musique et les phrases suivent les sinuosités des émotions. Cette nouvelle forme poétique connaît un grand succès au XXᵉ siècle.

VERLAINE :
musicien et théoricien

Paul Verlaine
Né en 1844 à Metz
Mort en 1896 à Paris

Métiers : 1862-1871 : employé de bureau à l'hôtel de ville de Paris ; 1875-1877 : professeur en Angleterre, puis en France ; 1880-1881 : exploitation d'une ferme (échec).

Amours : Mathilde Mauté, qu'il épouse en 1870 et dont il a un fils ; ils se séparent en 1874. Arthur Rimbaud (1871-1873) : ils vont ensemble en Belgique et à Londres ; en 1873, Verlaine tire sur son ami pour l'empêcher de partir. Lucien Létinois, un de ses élèves (1878-1883) puis, après 1885, deux maîtresses (Eugénie Krantz et Philomène Boudin).

Signes particuliers : alcoolique ; prison, de 1873 à 1875, pour tentative d'homicide volontaire sur la personne de Rimbaud et en 1885 (3 mois), pour violences envers sa mère.

■ L'œuvre de Verlaine

— *Poèmes saturniens* (1866) : recueil influencé par Baudelaire et par le mouvement parnassien. Les poèmes sont regroupés en quatre parties : *Mélancholia*, succession de rêveries intérieures ; *Eaux fortes,* où l'éclairage lunaire domine ; *Paysages tristes,* où vie intérieure et vie extérieure sont confondues dans une écriture impressionniste ; *Caprices.*

— *Fêtes galantes* (1869) : vingt-deux poèmes qui s'inspirent de la peinture de Watteau. Le thème dominant est celui de la fête amoureuse, où se multiplient les jeux de masque dans une atmosphère nocturne.

— *Romances sans paroles* (1874) : le titre, paradoxal pour un recueil poétique, traduit bien la volonté d'imiter, par l'écriture, la peinture et la musique. La poésie baigne dans une atmosphère en demi-teintes et ne fait que suggérer les sentiments.

— *Sagesse* (1880) : écrit à la suite de sa conversion en prison. Le recueil évoque l'itinéraire spirituel du poète.

— *Jadis et naguère* (1884) : remarquable surtout par son poème « l'Art poétique » ; écrit en fait en 1874, lorsqu'il était en prison. Verlaine n'y vit jamais qu'une chanson, mais il servit de manifeste à l'école symboliste.

■ La musique verlainienne

L'école symboliste reconnaît en Verlaine un maître de musique. De fait, il recherche « la musique avant toute chose ». Par les sonorités, il crée l'harmonie : disparition de la rime au profit d'assonances et d'allitérations, modulation des voyelles... Mais pour que la douceur ne devienne pas fadeur, il cultive aussi la dissonance (hiatus et diérèse) et l'irrégularité dans le rythme (préférence pour le vers impair, décalage du rythme et du sens dans les rejets).

Principales œuvres symbolistes

— Paul Verlaine : *Poèmes saturniens* (1866), *Romances sans paroles* (1874), *Sagesse* (1881).
— Jules Laforgue : *L'Imitation de Notre-Dame de la lune* (1886).
— Stéphane Mallarmé : *Poésies* (1887), *Hérodiade* (1869), *L'après-midi d'un faune* (1876).
— Gustave Kahn : *Les Palais nomades* (1887).
— Jean Moréas : *Un manifeste littéraire* (1886).
— Maurice Maeterlinck : *Pelléas et Mélisande* (1892).
— Paul Claudel : *Tête d'or* (1889 - première version).

| MOYEN ÂGE |
| XVIᵉ SIÈCLE |
| XVIIᵉ SIÈCLE |
| XVIIIᵉ SIÈCLE |
| **XIXᵉ SIÈCLE** |
| XXᵉ SIÈCLE |

Les mouvements décadents

Issu des désillusions de la guerre de 1870 et de la Commune, le décadentisme s'épanouit entre 1884 et 1890. Le mouvement cherche une raison de vivre dans une vision surnaturaliste du monde ; il est composé de nombreux groupes qui s'oppose aux naturalistes, aux Parnassiens et aux rationalistes.

Dissidents et adversaires du naturalisme

☐ Barbey d'Aurevilly (1808-1889) et Villiers de l'Isle-Adam (1838-1889) ont toujours affiché leur haine du réalisme : ils dénoncent sa vision du monde, réductrice et avilissante.

☐ Plusieurs écrivains naturalistes s'éloignent des théories de Zola. Ils aspirent à un au-delà qu'ils perçoivent dans les rêves, les cauchemars et les fantasmes : ils deviennent décadents. Huysmans (1848-1907) abandonne l'univers naturaliste en choisissant un aristocrate raffiné et mystique, Jean des Esseintes, pour héros de *À rebours*.

Foisonnement des mouvements décadents

☐ En 1880, des groupes décadents aux noms provoquants (Hydropathes, Hirsutes, Zutistes, Jemenfoutistes) trouvent leur unité autour de Jean des Esseintes, qui incarne l'esprit « fin de siècle », à la fois névrosé et raffiné.

☐ En 1886, Jean Moréas abandonne le terme de décadence et rédige le manifeste du symbolisme ; le mouvement décadent continue néanmoins à vivre. Symbolistes et décadents collaborent dans plusieurs revues : *La Plume, La Vogue, Le Mercure, La Revue blanche*.

Aspiration au surnaturel : divin ou satanique ?

Défiant le pessimisme de la fin du siècle, les écrivains décadents s'intéressent aux réalités surnaturelles. Huysmans s'adonne à la magie noire et au satanisme avant de se convertir au catholicisme, séduit par la beauté de l'art chrétien. La conversion de Barbey d'Aurevilly ne l'empêche pas de créer des personnages sataniques dans *L'Ensorcelée* et *Les Diaboliques*. Villiers de l'Isle-Adam, bien que catholique, est attiré lui aussi par l'occultisme.

Le dandysme, signe de décadence

☐ À la fin du siècle, le dandysme se confond avec un certain décadentisme ; le dandysme était à l'origine une mode vestimentaire masculine lancée par George Bryan Brummel dans la haute société londonienne (1778-1840). Puis il recouvre tout un état d'esprit : refus de la médiocrité ordinaire et recherche de la beauté pour sa personne et pour sa vie. Cette beauté se découvre sur le visage des autres qui est notre miroir. Pour attirer l'attention, le dandy cultive la provocation mais jamais ne tombe dans l'excentricité ; il reste à la limite extrême des convenances.

☐ En France, le dandysme s'incarne en plusieurs écrivains comme Balzac, Baudelaire, Barbey d'Aurevilly, et influence leur écriture (création de héros dandys).

HUYSMANS :
le mystique décadent

Joris-Karl Huysmans
(Ascendance hollandaise)
Né en 1848 à Paris
Mort en 1907 à Ligugé

Itinéraire : poète, romancier réaliste, naturaliste et décadent, puis bénédictin à Ligugé.
Amitié : Zola.
Signe particulier : souffre de troubles nerveux.

■ Jean des Esseintes, modèle des décadents

Héros de Huysmans, il est une révélation et un modèle pour tous les décadents. Le personnage, aristocrate comblé, ne sait plus où trouver du nouveau : il multiplie les artifices à la recherche de sensations nouvelles ; conformément à l'esprit dandy, il se consacre à des recherches vestimentaires et esthétiques (bijoux, parfums, fleurs, spécialement les fleurs naturelles ayant l'air artificielles) ; il étudie, jusqu'à l'hallucination et la névrose, les correspondances entre les liqueurs et la musique.

Ses goûts littéraires servent de références et définissent les canons esthétiques du décadentisme ; il s'intéresse à la littérature latine décadente et aux modernes connus (Baudelaire) ou encore inconnus (Mallarmé, Gustave Moreau, Odilon Redon).

■ La continuité dans la rupture

Même si Huysmans est passé du naturalisme à l'idéalisme, son œuvre fait apparaître une réelle continuité. Les héros, à travers tous les romans, sont des célibataires solitaires, à l'image de l'auteur, qui cherchent à échapper à la médiocrité de leur entourage et de leur vie. Les milieux changent, les réponses aussi, mais la quête reste la même. La technique utilisée est largement héritée du naturalisme : véracité des documents, précision des détails, langue étoffée et nerveuse.

Portrait du comte Robert de Montesquiou, le dandy parfait, par Boldini (1897).

Principales œuvres décadentes

— Jules-Amédée Barbey d'Aurevilly : *L'Ensorcelée* (1854), roman ; *Le Chevalier des Touches* (1864), roman ; *Les Diaboliques* (1874), nouvelles.
— Charles Cros : *Le Coffret de santal* (1873), poèmes.
— Auguste Villiers de l'Isle-Adam : *Contes cruels* (1883), nouvelles ; *Nouveaux contes cruels* (1888), nouvelles.
— Paul Verlaine : *Les Poètes maudits* (1884), articles de critique.
— Joris-Karl Huysmans : *À Rebours* (1884), roman.
— Jules Laforgue : *Les Complaintes* (1885), poèmes.
— Maurice Maeterlinck : *Pelléas et Mélisande* (1892), théâtre.
— Alfred Jarry : *Ubu roi* (1896), théâtre.

MOYEN ÂGE

XVIᵉ SIÈCLE

XVIIᵉ SIÈCLE

XVIIIᵉ SIÈCLE

XIXᵉ SIÈCLE

XXᵉ SIÈCLE

La critique littéraire

> La critique naît dans sa forme moderne au XIXᵉ siècle ; son objectif n'est plus de porter des jugements de valeur, mais d'expliquer l'origine des œuvres et de faire apparaître leur nouveauté. Sous l'influence du scientisme, elle recherche l'objectivité scientifique. Sous l'influence de l'impressionisme, elle prend un style plus intimiste.

Du jugement classique à la sympathie romantique

☐ La doctrine classique reste très présente au XIXᵉ siècle : la Beauté est une réalité éternelle et universelle ; en elle sont réunis la Vérité et le Bien. L'esthétique qui correspond à cette doctrine est la recherche de l'équilibre et de l'harmonie, auxquels tous sont sensibles à travers tous les temps. La critique classique consiste à apprécier en quoi une œuvre est conforme à ces principes.

☐ Mme de Staël et Chateaubriand vont être les premiers à dire que le beau est relatif à une époque et à un lieu. De plus, au lieu de juger les œuvres en fonction d'une idée extérieure de la Beauté, ils portent sur elles un regard enthousiaste et sympathique, essayant de les faire vivre de l'intérieur.

Vers une critique scientifique

☐ Pour expliquer l'évolution des œuvres littéraires, la critique s'efforce d'en définir les conditions de production. Sainte-Beuve cherche dans la vie de l'écrivain la source de son inspiration. Utilisant sa grande finesse d'intuition et ses talents de romancier, il fait de véritables reconstitutions historiques.

☐ Taine, plus scientifique, rejette l'intuition et fonde sa méthode sur des lois ; trois facteurs déterminent l'homme : la race, le milieu et l'époque. Il faut dégager de chaque œuvre la composante essentielle et trouver comment elle résulte de ces trois facteurs.

Les écrivains partisans d'une critique subjective

☐ Baudelaire pense que la critique naît du choc d'une rencontre dont le lecteur ou le spectateur essaye ensuite de préciser la nature. Les analyses passionnées de Baudelaire contiennent, notamment à propos de *Madame Bovary,* une force et une perspicacité supérieures à celles d'un Sainte-Beuve pourtant plus serein.

☐ De plus, le point de vue adopté par Baudelaire n'est pas extérieur (analyse des conditions de la production) mais intérieur : que se passe-t-il lorsque Delacroix peint, Wagner compose, Poe écrit ? En créateur, Baudelaire s'interroge sur les principes de la création. Il cherche à travers des artistes divers (peintres, musiciens, écrivains) à définir la beauté et le rôle de l'écrivain. La critique est indissociable de l'écriture.

☐ À la fin du siècle, sous l'influence de l'impressionnisme, les critiques cultivent la subjectivité : n'est-elle pas préférable à une pseudo-objectivité, toujours suspecte ? L'œuvre se présente alors comme une promenade littéraire. Un écrivain y « raconte les aventures de son âme au milieu des chefs-d'œuvre » (Anatole France). Parmi ces critiques, Jules Lemaître, Rémy de Gourmont, André Gide.

RENAN et TAINE :
la critique positiviste

Ernest Renan
Né en 1823 à Tréguier
(Côtes-du-Nord)
Mort en 1892 à Paris

Itinéraire : études de théologie au grand séminaire, puis renonce à devenir prêtre à cause de son rationalisme ; travaux de philologie et d'histoire des religions ; administrateur du Collège de France.
Signe particulier : provoque un scandale avec la publication de *La Vie de Jésus,* car tout en vénérant la personne du Christ, il ne croit pas à l'incarnation.

Hippolyte Taine
Né en 1828 à Vouziers
(Ardennes)
Mort en 1893 à Paris

Itinéraire : École normale supérieure ; travaux de psychologie expérimentale ; échoue à l'agrégation de philosophie (pour incompatibilité doctrinale avec son jury) ; critique littéraire ; professeur aux Beaux-Arts ; historien.
Signe particulier : a fait découvrir Stendhal.

■ Érudition et arbitraire

Par sa formation religieuse et intellectuelle et ses sympathies scientifiques, Renan possède une très grande culture. Il a un vrai souci d'exactitude, consulte des documents inédits, voyage beaucoup (Palestine et Syrie notamment). Comme Michelet, il a également le souci de rendre vivant le passé et de le transcrire avec goût. Aussi, les faits sont toujours justes mais les interprétations parfois erronées ; elles ne manquent pourtant pas de charme par l'émotion qui s'en dégage.

La crucifixion de Jésus, image populaire.

■ La méthode de Taine

Taine est animé d'un très grand souci d'exhaustivité ; que ce soit dans son œuvre de critique littéraire, artistique ou historique, il cherche avant tout à rendre compte de la totalité d'un homme en expliquant son comportement ou son œuvre par des influences externes : la race (les caractères innés), le milieu (climat et société), et le moment (situation historique). L'œuvre naît de la manière dont l'homme réagit à ces trois influences.

Par ce déterminisme social extrême, Taine invente une nouvelle science, la socio-critique ; mais il semble oublier la part de l'individu et la singularité de toute œuvre d'art.

Baudelaire « critique » les peintres
— « Rembrandt, triste hôpital tout rempli de murmures... »
— « Watteau, ce carnaval où bien des cœurs illustres, comme des papillons errent en flamboyant... »
— « Delacroix, lac de sang hanté de mauvais anges, ombragé par un bois de sapins toujours vert... »

(« Les Phares », *Les Fleurs du mal*)

| MOYEN ÂGE |
| XVIᵉ SIÈCLE |
| XVIIᵉ SIÈCLE |
| XVIIIᵉ SIÈCLE |
| XIXᵉ SIÈCLE |
| **XXᵉ SIÈCLE** |

Le XXᵉ siècle

▬▬ Bouleversement des idées et des valeurs

Le XXᵉ siècle se caractérise par la remise en question de toutes les valeurs de l'humanisme et la montée de l'angoisse devant les périls qui menacent l'homme. La barbarie des guerres, la crise économique de 1929, l'arme atomique et l'accélération du progrès conduisent certains écrivains à des thèses très pessimistes. Tandis que des artistes essaient de perpétuer des formes de tradition, d'autres tendent à proclamer des révolutions permanentes. La littérature est imprégnée de ces contradictions : c'est l'heure d'une explosion de mouvements, de manifestes, de tentatives esthétiques les plus extrêmes ainsi que de retours radicaux à la tradition.

▬▬ L'engagement de l'écrivain

☐ Toute une génération va découvrir l'urgence d'une réflexion sur la fonction et la nature de l'écrivain dans ce siècle troublé. Les écrivains se politisent et soutiennent de grands thèmes moraux. Ceux qui se sont engagés dans la Résistance, souvent membres du parti communiste, deviennent les maîtres à penser de toute une génération. Les manifestes se multiplient. Se développe aussi une littérature de témoignage dans le goût du roman réaliste traditionnel, qui connaît un grand succès.

☐ Restent des écrivains en marge de tout engagement et de tout témoignage qui poursuivent un but strictement littéraire. Cette dichotomie entre groupes d'écrivains engagés et auteurs isolés caractérise l'extraordinaire diversité du siècle.

▬▬ Crise d'identité littéraire

Dans la seconde moitié du siècle, la littérature est confrontée à une crise de l'engagement provoquée par la dénonciation des idéologies : elle s'interroge sur sa nature propre et pousse à l'extrême la critique de ses structures. Par son œuvre, l'écrivain pose la question de l'acte créateur. C'est le temps de l'« anti-théâtre », de l'« apoésie », du « nouveau roman », du doute, de l'autocritique et du soupçon.

▬▬ Perspectives actuelles

Aujourd'hui, alors que la littérature paraît achever son questionnement sur son identité, apparaît la nécessité de retrouver les conditions d'une renaissance de l'œuvre littéraire. Chacun éprouve le sentiment d'un éparpillement des œuvres, dû à la multiplication de tentatives individuelles. Globalement, un équilibre semble se créer entre le désir de renouveler les genres et le retour à un certain classicisme.

Événements historiques	Littérature française
1900 Exposition universelle à Paris	**1900** Les *Claudine* de Colette
1905 Loi de séparation de l'Église et	**1902** *L'Immoraliste de Gide*
de l'État	**1904** *Jean-Christophe* de Rolland
1906 Réabilitation de Dreyfus	**1906** *Partage de Midi* de Claudel
	1910 Les *Mystères* de Péguy
1913 Poincaré président	**1913** *Le Grand Meaulnes* de Fournier
1914-18 *Première Guerre mondiale*	**1913** *Alcools* d'Apollinaire
1918 *Armistice du 11 novembre*	**1913** *Du côté de chez Swann* de Proust
1919 *Traité de Versailles*	**1917** *La Jeune Parque* de Valéry
1920 Création du Parti communiste	
1922 Mussolini au pouvoir	**1922** Les *Thibault* de Martin du Gard
	1923 *Knock* de Romains
	1924 *Manifeste du surréalisme* de Breton
	1925 *Les Faux-Monnayeurs* de Gide
	1926 *Capitale de la douleur* d'Éluard
	1927 *Thérèse Desqueyroux* de Mauriac
	1928 *Nadja* de Breton
1929 Krach de Wall Street	**1929** *Le Soulier de Satin* de Claudel
	1930 *Regain* de Giono
1931 La République est proclamée en	**1932** *Voyage au bout de la nuit*
Espagne	*de Céline*
1933 Accession d'Hitler au pouvoir	**1933** *La Condition humaine* de Malraux
en Allemagne	**1935** *La Guerre de Troie* de Giraudoux
1935 Constitution du Front populaire	**1936** *Journal d'un curé de campagne*
1936 Guerre d'Espagne	de Bernanos
	1937 *L'Espoir* de Malraux
1938 Accords de Munich	**1938** *La Nausée* de Sartre
1939-45 *Seconde Guerre mondiale*	**1939** *Gilles* de Drieu la Rochelle
1940 *Gouvernement de Vichy -*	**1942** *L'Étranger* de Camus
De Gaulle à Londres	**1943** *Les Mouches* de Sartre
1944 *Libération de la France*	**1944** *Huit clos* de Sartre
1945 *Bombe atomique*	**1945** *La Diane française* d'Aragon
1946 Début de la guerre d'Indochine	**1946** *Paroles* de Prévert
	1947 *La Peste* de Camus
1948 Création d'Israël	**1948** *Les Mains sales* de Sartre
1949 Formation de la Chine populaire	**1950** *La Cancatrice chauve* de Ionesco
1954 Début de la guerre d'Algérie	**1953** *En attendant Godot* de Beckett
1957 Communauté économique	**1953** *Les Gommes* de Robbe-Grillet
européenne	**1956** *L'Ere du soupçon* de Sarraute
1958 Retour de De Gaulle au pouvoir	**1958** *Moderato Cantabile* de Duras
	1960 *Rhinocéros* de Ionesco
1964 Les Américains au Viêt-nam	**1964** *Les Mots* de Sartre
1968 Mouvement de mai	**1968** *Belle du Seigneur* de Cohen
1969 Pompidou président	**1969** *Vendredi ou les limbes du Pacifique*
	de Tournier
	1970 *Les Poneys sauvages* de Dréon
1973 Guerre du Kippour	**1971** *L'Idiot de la famille* de Sartre
1974 Giscard président	**1974** *La Dentellière* de Lainé
1977 Rupture de l'Union de la gauche	**1975** *La Vie devant soi* de Gary
1978 Jean-Paul II élu pape	**1977** *Archives du Nord* de Yourcenar
1979 Révolution iranienne	**1980** *Désert* de Le Clézio
1980 Invasion de l'Afghanistan par	**1983** *Femmes* de Sollers
les Soviétiques	**1984** *L'Amant* de Duras
1981 Mitterrand président	**1984** *Les Jardins du Consulat* de Rinaldi
1982 Guerre des Malouines	**1985** *Les Noces barbares* de Queffélec
1985 Gorbatchev au pouvoir	**1987** *La Nuit sacrée* de Ben Jelloun
1986 Gouvernement de cohabitation	**1987** Proust dans le domaine public
1988 Mitterrand réélu	**1988** *L'Exposition coloniale* d'Orsenna

MOYEN ÂGE

XVIᵉ SIÈCLE

XVIIᵉ SIÈCLE

XVIIIᵉ SIÈCLE

XIXᵉ SIÈCLE

XXᵉ SIÈCLE

Écrivains de la Belle Époque

On appelle Belle Époque les années de 1900 à 1914 : période de maturité et d'équilibre, sans conflit international, où l'on découvre les agréments des nouvelles techniques (cinéma, automobile, électricité).

▰▰▰▰ Des auteurs à succès

☐ La littérature est marquée par la persistance d'une tradition solide et des perspectives mesurées de renouveau. Un groupe d'écrivains, maîtres à penser officiels, servent les idées de la bourgeoisie au pouvoir : parmi eux, Paul Bourget (1852-1935) et son moralisme réactionnaire, Maurice Barrès (1862-1923) qui préconise le culte du moi et un fort nationalisme. Ils connaissent un franc succès.

☐ Anatole France (1844-1924) tranche sur ce fond de conformisme : s'il manifeste un grand attachement à la tradition du style et de la pensée, il incarne aussi un rationalisme convaincu à travers ses contes philosophiques (*La Rôtisserie de la reine Pédauque* en particulier où le personnage de l'abbé Coignard, opposé à tout fanatisme, est son porte-parole).

▰▰▰▰ Romans à idées, romans à thèse

☐ Le roman est le grand genre littéraire de l'époque. À l'appellation « roman à thèse », proposée par les critiques, qui suggère une image déformée de la réalité et une œuvre de propagande, les écrivains préfèrent le terme « roman à idées » qui induit une connotation morale : l'œuvre offre une analyse de la vie à valeur exemplaire.

☐ Paul Bourget prône le retour au spiritualisme dans *Le Disciple* (1889), Anatole France dénonce l'intolérance et le fanatisme dans *Les Dieux ont soif* (1912) qui a pour cadre la Terreur, et Maurice Barrès défend la terre déchirée de Lorraine, bastion du patriotisme dans *La Colline inspirée* (1913). Romain Rolland (1866-1944) dans les dix volumes de *Jean-Christophe* (1904-1912) propose un itinéraire pour trouver la paix intérieure à travers difficultés professionnelles, intrigue sentimentale et dégradation du climat international.

▰▰▰▰ Vers une poésie concrète

☐ Comme les autres genres, la poésie est très à l'honneur ; l'homme de lettres du début du siècle débute souvent sa carrière par un volume de poèmes (Jules Romains, Georges Duhamel, François Mauriac...). La Belle Époque est marquée par une remise en question du symbolisme jugé trop épuré et trop éthéré.

☐ Les innovations sont nombreuses : le naturisme (Francis Jammes, Paul Fort) vise à restituer un humanisme en poésie et propose une libération métrique. L'unanimisme souhaite exprimer la vie collective (Jules Romains, Georges Duhamel) et le romantisme féminin (Anna de Noailles) exalte le sentiment dans une poésie charnelle. Tous ont en commun un désir de revenir au concret.

LA VIE CULTURELLE À LA BELLE ÉPOQUE

■ Le théâtre

Le théâtre, servi par des acteurs exceptionnels tels que Lucien Guitry et Sarah Bernhardt, occupe une place majeure dans les goûts culturels de la Belle Époque.

— Le théâtre de boulevard, qui tire son nom du lieu où il est né, connaît une multitude de pièces qui ont en commun de susciter une émotion facile. Ses thèmes favoris sont les vicissitudes de l'amour, l'argent et la promotion sociale.

— Le vaudeville, plus littéraire, au rythme endiablé ponctué par des éclats de rire, est représenté par Georges Feydeau (1862-1921), successeur de Labiche et auteur d'une quarantaine de pièces, qui dénonce le conformisme de la bourgeoisie.

— La comédie légère, représentée par Georges Courteline (1858-1929), relève le trait dominant d'un personnage et le pousse jusqu'à la caricature. Il fait une satire de la vie bureaucratique dans *Messieurs les ronds-de-cuir* (1893) qui connaîtra un succès inégalé.

— Le théâtre d'Alfred Jarry (1873-1907) — et surtout son personnage Ubu — rompt avec ce théâtre plaisant. Ubu, personnage voleur et absurde, incarne tout le ridicule de l'homme, sa vulgarité, sa bassesse et son absurdité.

— Dans ce climat de gaieté, Edmond Rostand (1868-1918), versificateur de génie, connaît un triomphe inattendu avec *Cyrano de Bergerac* (1897), élevé au rang de mythe, qui est la dernière manifestation de l'héroïsme néo-romantique.

■ Le demi-monde

C'est le Tout-Paris des écrivains, des artistes et des comédiens, qui dîne chez Maxim's, se promène au Bois et roule en automobile. Leur lieu de prédilection est Montmartre, ses cabarets et ses bals où l'on écoute les chansons des anarchistes Aristide Bruant et Jehan-Rictus ; leur star est la Goulue, immortalisée par Toulouse-Lautrec.

■ Le cinéma

Méliès a inventé et développé le cinéma à la Belle Époque en créant des truquages spectaculaires. Le Gaumont-Palace projette chaque soir *L'Enfant de Paris* devant un public de 6 000 personnes qui ne tarit pas. Le Palais-Rochechouart propose *Les Derniers Jours de Pompéi* devant un public tout aussi nombreux. Charlot fait son apparition sur les écrans et soulève l'enthousiasme. Le cinéma commence déjà à concurrencer le théâtre...

■ La mode Claudine

Lancée vers 1900 par Willy et Colette (avec la série romanesque des *Claudine*), la mode Claudine connaît un immense succès : cols, chapeaux, cheveux courts... Elle correspond au désir d'émancipation de la femme qui commence à se faire jour.

Le monde de Montparnasse, vu par Van Dongen.

MOYEN ÂGE

XVIe SIÈCLE

XVIIe SIÈCLE

XVIIIe SIÈCLE

XIXe SIÈCLE

XXe SIÈCLE

Du symbolisme au cubisme

Le développement spectaculaire des techniques et de la psychanalyse pousse les poètes à explorer de nouvelles sources d'inspiration. Guillaume Apollinaire est le premier à éprouver la nécessité d'une rupture avec le passé. Son œuvre, d'une grande liberté
formelle, porte tous les germes de la modernité naissante.

▰▰▰ Tradition symboliste et modernité

L'œuvre de Guillaume Apollinaire regorge d'images insolites. Elles sont le fruit de
la rencontre de plusieurs traditions : la littérature merveilleuse du Moyen Âge, les
légendes allemandes et bretonnes que le poète mêle aux symboles que lui inspirent
ses rêveries. Cette œuvre éclectique tire toute son originalité de la fusion d'images
traditionnelles et d'images contemporaines : cette association donne aux poèmes un
élan lyrique résolument moderne.

▰▰▰ Au gré de l'esprit

☐ Homme d'une sensibilité exacerbée, Apollinaire garde intactes dans sa poésie les
associations libres de son esprit en mouvement. Ses poèmes se présentent souvent
sous la forme d'instantanés qui viennent d'intuitions soudaines.

☐ Le temps (mémoire, nostalgie, souvenir, regret des amours perdues) et l'eau,
symbole de la rêverie et de la fugacité, y occupent une place centrale. Les thèmes
s'enchaînent naturellement au gré des errances de l'esprit.

▰▰▰ L'esthétique du discontinu

☐ Ce foisonnement de l'inspiration donne à ses poèmes l'apparence d'une composition libre. La sensation étant elle-même fragmentaire, Guillaume Apollinaire veut
la restituer telle quelle, selon une esthétique du discontinu. Les peintres cubistes,
et particulièrement Georges Braque qu'Apollinaire admirait, font eux aussi éclater
la réalité en recomposant sur leurs toiles les diverses parties d'un objet.

☐ Le spectacle de la ville de nuit est un des thèmes de prédilection du poète fasciné
par cette féerie où tout semble se juxtaposer sans jamais se fondre.

▰▰▰ Les innovations formelles

☐ Apollinaire est le premier à s'affranchir des contraintes prosodiques et grammaticales, et de la ponctuation. Il use le plus souvent de vers libres rimés qui allient un
lexique trivial et un lexique recherché.

☐ Le recueil *Alcools* (1913) frappe par sa diversité formelle : poèmes symbolistes et
élégies plus traditionnelles côtoient des poèmes éclatés aux hardiesses syntaxiques
(*La Chanson du mal-aimé*), à la ponctuation systématiquement supprimée suivant
l'idée que « le rythme même et la coupe des vers, voilà la véritable ponctuation ».

☐ Par ses choix nouveaux, son souci de rendre compte des aléas de l'inconscient,
Apollinaire est le précurseur du surréalisme.

APOLLINAIRE : l'inventeur

Wilhelm Apollinaris Albertus de Kostrowitzky
Pseudonyme : Guillaume Apollinaire
Né en 1880 à Rome
Mort en 1918 à Paris (d'une grippe espagnole)

Pseudonyme : prend le nom de plume Apollinaire à 17 ans (sans doute par référence à Apollon, dieu du soleil et de la poésie).
Famille : sa mère est une demi-mondaine romaine d'origine polonaise et son père (qui refuse de le reconnaître) est un officier italien.
Carrière : de nombreux petits métiers à Paris, puis précepteur en Allemagne (1901-1902). Il s'engage en août 1914 (blessé et trépané en 1916).
Amours : Annie Playden, Marie Laurencin (peintre à Paris, avec qui il vit jusqu'en 1912) et Louise de Coligny-Chatillon (à qui il dédie ses *Poèmes à Lou*).
Amitiés : de nombreux peintres (Picasso, Derain, Vlaminck, le Douanier Rousseau) et poètes (Max Jacob, Salmon) qu'il retrouve régulièrement au Bateau-Lavoir à Paris.
Signe particulier : publie des romans érotiques sous un faux-nom pour subsister.

■ *Alcools* (1913)

Ce recueil réunit tous les poèmes écrits de 1898 à 1913, sans ordre chronologique. Le titre est une référence à Rimbaud (*Le Bateau ivre*). L'ensemble du recueil, où tous les genres et les tons se mêlent, est une exaltation de l'imagination et du merveilleux, un hymne au voyage, à l'amour, au progrès et à la puissance poétique. Il comprend des textes qui sont devenus les classiques d'Apollinaire : *Le Pont Mirabeau, Les Colchiques, Nuit rhénane* et *La Chanson du mal-aimé* (poème de la désillusion amoureuse écrit quand Annie Playden se sépara du poète).

■ *Les Calligrammes* (1918)

Apollinaire a voulu user des « possibilités figuratives du vers » en inventant les *Calligrammes*, c'est-à-dire des poèmes dont la typographie est signifiante ou même en forme de dessin. Il voit un intérêt plastique dans l'observation du monde moderne bouleversé par la vitesse et cherche à rendre compte, par la vue même du poème, de cet éclatement. Le recueil porte le sous-titre banal de « Poèmes de la paix et de la guerre » : ses thèmes principaux en sont la passion charnelle et l'horreur mêlées dans un même tourbillon poétique.

■ *Le Bestiaire* (1909)

Cette œuvre peu connue d'Apollinaire vaut aussi par son originalité d'écriture. Le poète a tiré son inspiration des « bestiaires » du Moyen Âge, recueils de textes courts qui énuméraient les propriétés et les singularités des animaux. Apollinaire en imite les formules archaïques et le ton énigmatique dans de courts poèmes imprégnés de références latines et grecques. À chaque animal est rattaché un symbole. Raoul Dufy, peintre ami du poète, illustra d'une gravure chacun des poèmes.

MOYEN ÂGE
XVIᵉ SIÈCLE
XVIIᵉ SIÈCLE
XVIIIᵉ SIÈCLE
XIXᵉ SIÈCLE
XXᵉ SIÈCLE

Le roman en question

L'écriture de Marcel Proust a eu une influence déterminante sur l'évolution ultérieure du roman : pour la première fois dans la littérature, un homme se penche sur son passé et analyse son époque pour raconter le cheminement de sa conscience jusqu'au moment où s'imposera à elle la nécessité de l'œuvre à écrire.

Le narrateur et ses personnages

□ Proust, nourri de la lecture des moralistes, nous offre une peinture de la frivolité des milieux mondains de la bourgeoisie snob et de l'aristocratie, dont il est issu, sans aucune révolte contre l'ordre social.

□ Il met en scène des personnages nettement dessinés : Legrandin, le snob précieux, Bloch et ses pastiches hellénisants, le diplomate Norpois aux discours alambiqués, Odette de Crécy la demi-mondaine coquette, la duchesse de Guermantes, grande dame, Françoise la servante dévouée... Jusqu'aux personnages secondaires qui représentent chacun un type humain dans un monde désabusé, marqué par la jalousie, le vice et l'hypocrisie.

La découverte de soi par la narration

□ *À la recherche du temps perdu*, œuvre majeure de Proust, est aussi l'histoire d'une conscience. Toute l'œuvre est écrite au passé et semble avoir pour seul présent la conscience du narrateur, observateur et acteur dans le monde du roman.

□ Proust cherche à dégager l'importance du regard, de la conscience et de la subjectivité dans l'appréciation de l'autre et du monde. Sa propre observation du monde a formé sa conscience et l'a poussé à écrire.

La magie de la mémoire

□ Influencé par les travaux de Bergson sur le temps, Proust pense que le temps détruit les souvenirs et l'épaisseur de la conscience. Le moi se transforme continuellement. Seule la mémoire involontaire ressuscite le passé à partir du goût d'un gâteau (d'une madeleine) ou du parfum d'une fleur qui, par leur pouvoir suggestif, reconstruisent « l'édifice immense du souvenir ».

□ Tout le microcosme familier de l'enfance du narrateur resurgit ainsi, immortalisé par la magie de la mémoire : le village d'Illiers (devenu Combray), le Loir (la Vivonne) et les plages normandes de Cabourg (Balbec).

Une poétique de l'art

□ Un seul univers compte, celui de l'art. L'art peut transfigurer notre vision du monde. Proust nous présente de piètres figures d'artistes, décevants comme hommes, mais transfigurés par leur art et leur talent.

□ Sa phrase, si souvent critiquée pour sa longueur, est à l'image de sa pensée : construite, coupée d'incises, elle cherche à établir toutes les correspondances au même moment entre les aspects du monde et les profondeurs de l'âme.

PROUST :
le romancier du roman

Marcel Proust
Né en 1871 à Paris
Mort en 1922 à Paris

Études : brillantes au lycée Condorcet, à l'École des sciences politiques, puis licences de droit et de lettres à la Sorbonne.

Carrière : collaborateur de revues littéraires, « attaché non rétribué » à la bibliothèque Mazarine, puis fréquente les milieux mondains qui font mûrir en lui ses personnages.

Amitiés : Robert de Flers ; le musicien Reynaldo Hahn ; Mme Straus, sa confidente.

Signes particuliers : a dû publier à compte d'auteur chez Grasset *Du côté de chez Swann*, toutes les maisons d'édition ayant refusé au départ de publier son œuvre ; à partir de la mort de ses parents (son père en 1903 et sa mère en 1905), Proust s'éloigne de la vie mondaine pour ne plus se consacrer qu'*À la recherche du temps perdu.*

■ Structure de la *Recherche*

Le cycle des sept romans qui constituent *À la recherche du temps perdu* reprend incessamment les mêmes personnages et les mêmes thèmes, mais toujours avec des variations subtiles :
— *Du côté de chez Swann* (1913) ;
— *À l'ombre des jeunes filles en fleurs* (1919) ;
— *Le Côté de Guermantes* (1920) ;
— *Sodome et Gomorrhe* (1921) ;
— *La Prisonnière* (1923, posthume) ;
— *Albertine disparue* (ou *La Fugitive*, 1925, posthume) ;
— *Le Temps retrouvé* (1927, posthume).
Il n'y a aucune aventure dans le récit proustien. Il n'est pas centré sur l'intrigue ou l'action, mais sur le temps subjectif, c'est-à-dire la perception qu'a le narrateur

des événements : souvent, ce qui est précipité dans la chronologie extérieure revêt une durée immense dans la lecture. Proust a construit son œuvre « comme une cathédrale » où les vérités et les harmonies entre les choses et les êtres se révélent peu à peu. Le roman est à la fois une peinture de la société, un roman psychologique, une autobiographie, un essai sur la littérature... *La Recherche* mêle toutes les formes romanesques dans un seul univers : le livre est le roman d'un roman, la découverte d'une vocation.

La comtesse Greffulhe, inspiratrice de la duchesse de Guermantes.

Les autres œuvres de Proust

— *Les Plaisirs et les Jours* (1896) : peinture autobiographique de la société mondaine.
— *Jean Santeuil* (publié en 1952 mais composé entre 1896 et 1904) : premier roman de Proust.
— *Contre Sainte-Beuve* (publié en 1954) : Proust critique la conception de Sainte-Beuve selon laquelle l'œuvre d'un écrivain est le reflet de sa vie et s'explique par elle.

| MOYEN ÂGE |
| XVIᵉ SIÈCLE |
| XVIIᵉ SIÈCLE |
| XVIIIᵉ SIÈCLE |
| XIXᵉ SIÈCLE |
| **XXᵉ SIÈCLE** |

La poésie spirituelle

Au début du siècle une authentique littérature religieuse voit le jour à la faveur du renouveau théologique de l'Église. Charles Péguy et Paul Claudel, tous deux convertis, retrouvent le sens du mystère et du symbole dans une poésie au lyrisme religieux intense.

Des sources d'inspiration mystiques

☐ Dans les œuvres de Péguy, Dieu parle directement à sa créature avec un langage humain, ou bien le poète reproduit le dialogue mystique entre l'homme et Dieu qui répond aux plus profondes interrogations spirituelles.

☐ Claudel puise à des sources intellectuelles : la Bible, les *Pensées* de Pascal, les *Sermons* de Bossuet, *La Somme théologique* de saint Thomas d'Aquin révélée par son confesseur... Il approfondit sa connaissance de Dieu, qui va de pair avec la découverte des pouvoirs du poète.

Révélation et incarnation

☐ Pour Péguy, l'union entre le charnel et le spirituel, signe de l'incarnation du Christ, porte à espérer et à aimer les autres et particulièrement Marie, en qui Dieu s'est révélé, ainsi que les saints chers à la dévotion populaire : Jeanne d'Arc, sainte Geneviève, saint Louis... Péguy reprend le genre médiéval du mystère qui est la représentation des hauts faits d'un saint. Cette forme dramatique édifiante lui permet une méditation sur les mystères théologiques.

☐ Selon Claudel, la religion nous apporte la Parole qui révèle le sens de la Création. La foi donne aux actions humaines une valeur dramatique.

L'origine de la parole poétique

☐ Le poète, pour Claudel, est l'imitateur de Dieu, et la poésie, l'imitation de la Création. Ses vers s'emplissent d'images cosmiques et bibliques. Dans *Les Cinq Grandes Odes* le poète découvre la puissance de Dieu qui confère au poète le pouvoir de nommer les éléments de la Création. Pierre Reverdy et Victor Segalen, plus tard, vont fonder toute leur poésie sur ce pouvoir divin qu'a le poète de nommer.

☐ Chez Péguy, la poésie rejoint étroitement la prière et les nombreux emprunts à l'Évangile rappellent régulièrement que la méditation de la Parole de Dieu est la nourriture poétique par excellence.

Le rythme de l'invocation

☐ Selon Claudel, « recevoir l'être et restituer l'éternel » est le mouvement à deux temps qui est l'acte constant du poète. Le verset, « idée isolée par du blanc », reproduit le mieux, selon lui, l'inspiration (le blanc) et l'expiration (le verset).

☐ L'œuvre de Péguy se caractérise par l'entrelacement des thèmes qui donne un rythme incantatoire au texte. Dans *Les Tapisseries,* les thèmes s'enchaînent à la manière d'associations d'idées avec un perpétuel recommencement.

PÉGUY :
l'homme d'action mystique

Charles-Pierre Péguy
Né en 1873 à Orléans
Mort en 1914, tué à Villeroy-
en-Brie (lors de la campagne
de Lorraine)

Famille : père menuisier et mère
rempailleuse de chaises.
Études : lycée d'Orléans puis
hypokhâgne au lycée Louis-le-Grand à
Paris puis École normale supérieure.
Carrière : fondateur de revues,
dramaturge puis poète ; lieutenant
pendant la guerre de 1914.
Signe particulier : converti vers l'âge de
trente-deux ans (lente maturation vers la
foi), il a toujours refusé de recevoir les
sacrements.

■ Les Cahiers de la Quinzaine

Rejeté par les socialistes dont il avait été
proche, suspect aux yeux des catholiques, Péguy fonde en 1900 *Les Cahiers
de la Quinzaine*, « journal vrai », respectueux des libertés individuelles, anticlé-
rical mais imprégné de spiritualité, qui
traite de sujets divers : de problèmes sociaux (travail des enfants, grève des mineurs, universités populaires) et d'actualité politique (répression coloniale, oppression des minorités).
Cette revue est le fruit d'un travail
acharné dans des conditions financières
précaires. Elle paraît jusqu'à la mort de
l'écrivain qui y a publié, outre ses œuvres
majeures, des textes de Romain Rolland,
André Suarès, Henri Bergson, Jean
Jaurès...

■ L'œuvre de Charles Péguy

— *Jeanne d'Arc* (1897) : drame en trois
pièces. À travers l'histoire de la Sainte,
Péguy exprime ses propres angoisses et
développe une critique acerbe des classes possédantes.

— *Notre patrie* (1905) marque une distance prise vis-à-vis de l'idéologie socialiste et une redécouverte des valeurs
nationales.
— *Clio, dialogue de l'histoire et de l'âme
païenne* (1909).
— *Le Mystère de la charité de Jeanne
d'Arc* (1910) : long poème, grande œuvre
de la conversion de Péguy, qui rappelle
la dimension mystique des hauts faits de
Jeanne d'Arc. Il comprend *Le Porche du
mystère de la deuxième vertu,* dialogue
poétique entre Dieu et l'homme qui célèbre la deuxième vertu théologale, l'Espérance. Il se clôt par *Le Mystère des saints
innocents,* méditation sur la foi.
— *Victor-Marie, comte Hugo* (1911) : évocation du passé dreyfusard de Péguy et
célébration de l'amitié.
— *Tapisseries* (1912-1913) : au nombre
de trois (*La Tapisserie de sainte Geneviève et de Jeanne d'Arc, La Tapisserie
de Notre-Dame* et *Ève*) ; Péguy cherche,
à travers leurs vers variés, à traduire le
mystère de l'incarnation.

MOYEN ÂGE

XVIᵉ SIÈCLE

XVIIᵉ SIÈCLE

XVIIIᵉ SIÈCLE

XIXᵉ SIÈCLE

XXᵉ SIÈCLE

Le théâtre spirituel

Au cours du siècle, une lignée d'écrivains s'est obstinée à récuser les matérialismes ambiants : Péguy, Claudel, Bernanos, Mauriac, Montherlant, Gabriel Marcel, Julien Green... Catholiques, protestants ou sceptiques, ils ont voulu dans leur théâtre rappeler à l'homme sa grandeur et son destin spirituels.

Des drames du péché et de la grâce

☐ Le théâtre de Claudel est lyrique. Les spectateurs participent au drame comme à une liturgie qui conduit l'humanité vers la grâce.

☐ Bernanos, qui reproche à Claudel son mysticisme mièvre et éthéré, enracine ses drames dans l'histoire de la misère du peuple en proie au mal, qui porte le péché du monde, et recouvre ainsi la grâce.

☐ On trouve dans le théâtre de Mauriac une atmosphère lourde de péché rendue par des personnages violents et corrompus qui se débattent sur le chemin de la rédemption.

☐ Dans le théâtre de Montherlant, il s'agit toujours du même conflit entre un père vieillissant et de jeunes hommes à qui il reproche leur médiocrité et qu'il cherche à entraîner vers un idéal de pureté.

Alliance du charnel et du spirituel

☐ Claudel montre à travers toutes ses pièces comment le charnel aspire au spirituel. Il use souvent de la représentation symbolique de l'arbre qui puise son énergie dans la terre et s'élance vers le ciel. Il donne du reste le titre *L'Arbre* à un de ses recueils qui regroupe cinq de ses pièces.

☐ Bernanos rappelle aux hommes que le mal s'éprouve et s'accueille avec simplicité : la prieure du Carmel de Compiègne des *Dialogues des carmélites* ne cesse de l'enseigner à ses religieuses, tout en les exhortant à prier pour donner un sens spirituel à leur souffrance, signe de l'amour de Dieu.

Dilemmes spirituels

☐ Les héros de Montherlant essaient de concilier leur bonheur terrestre avec le salut de leur âme. Devant le constat d'impossibilité d'une telle unité, ils se tournent, après des moments graves de tourments spirituels, vers une morale du renoncement : dans *Le Maître de Santiago,* Don Alvaro et sa fille Mariana, qui sacrifie son amour, se retrouvent dans un couvent.

☐ Le dilemme spirituel n'est pas moins fort pour le jeune pasteur de *Sud* de Julien Green, obligé de renoncer à ses désirs homosexuels à cause de la morale puritaine de son entourage et de ses choix religieux.

CLAUDEL :
l'amour et la souffrance

Paul Claudel
Né en 1868 à Villeneuve-sur-Fère-en-Tardenois (dans l'Aisne)
Mort en 1955 à Paris

Formation : études au lycée Louis-le-Grand à Paris, puis études de droit et de sciences politiques et reçu premier au concours des Affaires étrangères.
Famille : subit enfant l'ascendant de sa sœur aînée Camille, sculpteur, élève de Rodin.
Carrière : consul de France à New York puis à Boston ; divers postes en Chine et au Japon de 1895 à 1909 ; ministre plénipotentiaire à Rio de Janeiro puis à Copenhague ; ambassadeur à Tokyo, Washington et Bruxelles.
Amitiés : Jean-Louis Barrault, qui lui apprend à donner une forme plus scénique à son théâtre.
Amour : avec la Polonaise Rose Vetch.
Signe particulier : converti la nuit de Noël 1886 à Notre-Dame pendant le Magnificat. Ce retour à la foi s'accompagne d'une soumission de l'être tout entier à l'Église.

■ La scène à l'échelle du monde

Paul Claudel a le souci d'englober le monde dans sa totalité. Dans *Le Soulier de satin,* « la scène est le monde » et même si l'action semble centrée sur « un petit drame espagnol », l'auteur dit lui-même qu'il a voulu comprimer les pays et les époques pour en faire un microcosme.
Les références historiques diverses (la Commune dans *La Ville,* le Moyen Âge dans *La Jeune Fille Violaine,* ont pour effet de transcrire le caractère éternel des problèmes que soulève Claudel, soucieux de montrer comment s'enracine l'universel dans le particulier.

La femme dans le théâtre claudélien a toujours pour vocation sublime de révéler à l'homme sa charité en le soustrayant à son égoïsme naturel. Quel que soit son prénom, elle est Ève et Marie, la femme originelle.

■ L'amour dans l'œuvre de Claudel

L'amour de Claudel pour Rose Vetch apparaît dans *Partage de midi*, écrit immédiatement après leur rupture. Claudel mêle l'autobiographie à une recréation par l'imagination. Le sacrifice claudélien de l'amour illicite (Rose Vetch est mariée ; Claudel lutte intérieurement contre cet amour impossible aux yeux de Dieu) se traduit par une évocation lyrique de la passion et une soumission volontaire aux lois de l'Église : Claudel se nourrit de la pensée de saint Augustin qui affirme que « l'amour ne peut s'opposer à l'amour ». L'apologie du sacrifice amoureux nourrit constamment le théâtre claudélien : Violaine, dans *L'Annonce faite à Marie,* cède celui qu'elle aime, Jacques Hury, à sa sœur Mara ; dans *Le Soulier de satin,* Prouhèze, obligée d'épouser Camille, renonce à Rodrigue.

Œuvres dramatiques spirituelles
— Paul Claudel : *Tête d'or* (1890, 1re version), *La Ville* (1893, 1re version), *Partage de midi* (1906), *L'Otage* (1911), *L'Annonce faite à Marie* (1912), *Le Soulier de satin* (1929).
— François Mauriac : *Asmodée* (1938), *Les Mal-Aimés* (1945).
— Henry de Montherlant : *La Reine morte* (1942), *Port-Royal* (1954), *Le Maître de Santiago* (1947).
— Georges Bernanos : *Dialogues des carmélites* (1949, posthume).
— Julien Green : *Sud* (1953).

MOYEN ÂGE

XVIᵉ SIÈCLE

XVIIᵉ SIÈCLE

XVIIIᵉ SIÈCLE

XIXᵉ SIÈCLE

XXᵉ SIÈCLE

Deux maîtres du langage

Deux amis, André Gide et Paul Valéry, partagent des conceptions intellectuelles communes et une même exigence de pureté. Leurs œuvres, essentiellement romanesque pour le premier et poétique pour le second, ont en commun leur souci du dépouillement, leur maîtrise du langage et un même sens de l'engagement.

▬▬▬ Le roman pur

☐ André Gide, avec *Les Faux-Monnayeurs* (1925) annonce sa volonté de réduire le roman à sa pure essence. Il abandonne tout ce qui rattache le roman à la réalité en refusant la chronologie linéaire, et préfère au contraire retranscrire la simultanéité des gestes et des pensées.

☐ En outre il ne veut pas clore son roman par une conclusion définitive qui arrête la vie des personnages et l'imagination du lecteur.

☐ Il s'exprime lui-même dans son roman par le procédé de la mise en abyme (c'est-à-dire du roman dans le roman : le héros, Édouard, écrit lui aussi un roman intitulé *Les Faux-Monnayeurs*).

☐ Pour le cadre de ses romans, Gide ne cherche à retenir que « le significatif, le décisif, l'indispensable. » Il dépouille le décor pour instaurer un lieu de caractères.

▬▬▬ La poésie pure

☐ Paul Valéry, disciple de Mallarmé, recherche d'abord la beauté plastique : dans *La Jeune Parque* (1917) et *Le Cimetière marin* (1920), il accorde son rythme à celui des vagues et du vent pour reproduire le souffle de la vie.

☐ Il donne une place essentielle à la composition « architecturale » du poème, qui doit créer un nouvel univers : le paysage devient un temple au début du *Cimetière marin*. Le vocabulaire abstrait est chargé de véhiculer « la vraie pensée » et les figures de style d'allier le son et le sens de manière « qu'ils se répondent indéfiniment dans la mémoire ». Valéry définit la poétique comme l'exécution du poème.

☐ La priorité est accordée à la forme : les mots s'appellent, leurs influences mutuelles doivent dominer le sens du poème.

▬▬▬ Deux regards sur l'actualité

☐ Nul retranchement du monde pourtant chez ces deux auteurs apparemment plus soucieux de forme que de fond. Paul Valéry critique la civilisation occidentale en intervenant avec recul et objectivité sur des questions d'actualité : l'Europe qui devient minoritaire dans le monde, les dictatures, l'enseignement...

☐ Dans le *Journal* qu'il tient à partir de 1889, André Gide s'ouvre à des préoccupations altruistes : après la Première Guerre mondiale, il pose le problème de la « régénération » de la France. Après son voyage au Congo (1925), il prend position contre le colonialisme. Il soutient passagèrement le communisme stalinien jusqu'en 1936.

GIDE : l'« inquiéteur »
VALÉRY : l'aventure de l'esprit

André Gide
Né en 1869 à Paris
Mort en 1951 à Paris

Milieu social : haute bourgeoisie protestante.
Voyages : Tunisie (1893-1895), Congo (1925-1926), URSS (1936), Afrique du Nord (sous l'Occupation).
Amour : sa cousine Madeleine qu'il épouse en 1895, mais le couple se dégrade très vite.
Signe particulier : peut se consacrer entièrement à la littérature très tôt grâce à sa fortune personnelle.

Paul Valéry
Né en 1871 à Sète
Mort en 1945, inhumé
au cimetière marin
de Sète

Itinéraire : études de droit, fonctionnaire au ministère de la Guerre à partir de 1893, professeur au Collège de France à partir de 1937.
Amitié : Stéphane Mallarmé.
Signe particulier : chaque matin, de 1924 à la fin de sa vie, il note sur ses *Cahiers* (au nombre de 257) ses réflexions sur le mental, le moi, les rêves...

■ L'ironie gidienne

Pour caractériser ses premiers récits, André Gide n'emploie pas le mot « roman » mais le mot « sotie », genre dramatique du Moyen Âge joué par les Sots, qui se moquent de la société. Ceci pour marquer les distances qu'il prend à l'égard du roman et pour relever l'ironie qu'il met dans ses récits.

Le récit gidien est généralement l'histoire d'un drame sentimental ou moral rapporté par un narrateur qui en fait une analyse précise. Dans *L'Immoraliste* (1902), le héros Michel dont la vie est étrangement semblable à celle de Gide, fait son autocritique en retraçant l'histoire de sa libération de toute convention morale.

Les Caves du Vatican (1914), roman de politique-fiction, est l'histoire d'une escroquerie à Lyon à propos d'un faux projet d'enlèvement du pape Léon XIII. La désinvolture des héros, vrais fantoches, et la complexité de l'intrigue, parodie du roman policier, dénoncent la fiction romanesque.

■ Un monde imaginaire antique

L'œuvre poétique de Paul Valéry est nourrie de culture antique. Le poète interprète et exploite les grands mythes en leur donnant une portée symbolique personnelle : la jeune Parque représente l'éveil de la conscience de soi-même, Narcisse la connaissance de soi, et la Pythie l'inspiration poétique.

La plupart des poèmes s'inspirent du climat et de l'architecture de la Grèce. Valéry voit dans ce monde méditerranéen la plus belle représentation de « l'ivresse des sens » ; la lumière chaude fait baigner les êtres et les choses dans une atmosphère sensuelle et colonnes et temples sont des signes d'harmonie et de perfection.

MOYEN ÂGE

XVIe SIÈCLE

XVIIe SIÈCLE

XVIIIe SIÈCLE

XIXe SIÈCLE

XXe SIÈCLE

Le mouvement surréaliste

Le mouvement surréaliste s'est cristallisé autour de la revue *Littérature* qui accueille toutes les tendances d'avant-garde puis s'oriente vers la révolte et le scandale. En 1924, après avoir rompu avec le dadaïsme qu'il juge trop nihiliste, André Breton livre une doctrine cohérente du surréalisme dans un premier manifeste.

Le dadaïsme

☐ À Zurich en 1916 se retrouve un petit groupe d'artistes de tous pays qui rejettent en bloc la religion, la politique, l'art et la littérature et adoptent une attitude nihiliste et subversive. Par dérision, ils choisissent pour nom Dada. Le grand inspirateur du mouvement est Tristan Tzara, jeune écrivain roumain.

☐ Dada connaît son apogée entre 1920 et 1922. L'activité du mouvement consiste en l'organisation de soirées poétiques où l'on s'adonne à des jeux de langage (invention de mots, phrases a priori vides de sens, poésies phonétiques, poèmes en plusieurs langues), de visites de « lieux communs » (la gare Saint-Lazare...), et d'expositions d'objets quotidiens. Dada privilégie l'acte poétique en mouvement et fait passer au second plan le sens des mots.

Manifestes du surréalisme

☐ Après avoir reconnu en Tristan Tzara un prophète, André Breton condamne son nihilisme gratuit et explore des voies littéraires nouvelles : dans son premier *Manifeste du surréalisme,* en 1924, il donne une définition précise du mot « surréalisme » inventé par Apollinaire pour caractériser son œuvre *Les Mamelles de Tirésias* : « Automatisme psychique pur par lequel on se propose d'exprimer soit verbalement, soit par écrit, soit de toute autre manière, le fonctionnement réel de la pensée ».

☐ Le reste du manifeste donne les prolongements de cette définition. Breton fait le procès de la raison et de la culture, prône la toute-puissance du monde de l'imagination et du rêve comme mode de connaissance. Le surréalisme repose sur la croyance dans l'autonomie absolue du langage dicté par l'inconscient, et dont le but est de produire un effet. Ce premier manifeste sera suivi de deux autres en 1938 et 1942, signés par de nombreux artistes, qui affineront cette définition en fonction de l'évolution littéraire du mouvement.

L'écriture automatique

☐ L'une des grandes techniques surréalistes est l'écriture automatique qui consiste à écrire comme sous la dictée des phrases suggérées par l'inconscient. André Breton et Philippe Soupault ont écrit, par cet unique procédé, un recueil collectif, *Les Champs magnétiques,* en 1919.

☐ L'image poétique qui résulte de cette forme d'écriture tire sa puissance du rapprochement fortuit de réalités que la logique n'aurait jamais mises en relation.

ELUARD et ARAGON :
les deux grands poètes surréalistes

Paul-Eugène Grindel
Pseudonyme : Paul Eluard
Né en 1895 à Saint-Denis
(banlieue parisienne)
Mort en 1952 à Paris
Amitiés : André Breton, Tristan Tzara,
Louis Aragon.
Amours : Gala (aimée de Salvador Dali
plus tard), Nush et Dominique.
Politique : adhère au parti communiste
en 1926, soutient les républicains
espagnols, engagé dans la Résistance.
Signe particulier : malade, il est obligé
d'interrompre ses études à 16 ans.

Louis Aragon,
Né en 1897 à Neuilly
Mort en 1982 à Paris

Formation : médecin.
Amitiés : André Breton, Paul Eluard,
Philippe Soupault.
Amour : Elsa Triolet, romancière, belle-
sœur de Maïakovski, qu'il épouse.
Politique : entre au parti communiste en
1927, résistant ; journaliste à *L'Humanité*
en 1933-1934, directeur du quotidien *Le
Soir* de 1937 à 1939.
Signe particulier : rompt avec le
surréalisme en 1931.

■ Œuvres majeures

1926 : *Capitale de la douleur.*
1929 : *L'Amour, la Poésie.*
1932 : *La Vie immédiate.*
1947 : *Le temps déborde.*
Pour Eluard, le langage est une fin en
soi ; il est dans ses poèmes toujours très
simple et musical, souvent chaleureux. Il
va au-delà de l'automatisme car il cherche à rendre évidentes ses images ; de
fait, il n'est pas rare qu'elles dégagent
une très grande émotion par leur justesse
inattendue.

■ Œuvres majeures

Le Paysan de Paris (1926) : roman du
désir amoureux qui offre des pages étonnantes sur le Paris d'Haussmann.
Le Crève-Cœur (1941) : Aragon y relate
la guerre, l'exode et l'armistice.
Les Yeux d'Elsa (1942) : poèmes qui
identifient la femme à la patrie.
La Diane française (1946) : poèmes
d'amour tendre et passionné dans l'atmosphère de la guerre, aux images tirées
de mythes médiévaux.
Le Fou d'Elsa (1963) : long poème à la
gloire d'Elsa qui montre que le désir
amoureux est la source intarissable de
l'imagination.

Surréalisme et révolution

Entre 1927 et 1930, tous les écrivains
surréalistes adhèrent au parti
communiste : ils sont soucieux de
« changer le monde », d'aider l'humanité
à se libérer de tout esclavage moral ou
social. Très vite, ils déchantent ; la
toute-puissance du rêve est difficile à
concilier avec la lutte des classes et la
discipline du parti.

MOYEN ÂGE

XVIᵉ SIÈCLE

XVIIᵉ SIÈCLE

XVIIIᵉ SIÈCLE

XIXᵉ SIÈCLE

XXᵉ SIÈCLE

Le roman en quête de morales

> **Dans l'entre-deux-guerres, alors que les valeurs sont instables, nombre de romanciers s'engagent sur la voie de la réflexion sociale, psychologique, religieuse et philosophique.**

La portée sociale du roman fleuve

□ Le roman fleuve, ainsi intitulé parce que le récit s'y déroule selon un fort débit, se caractérise par une organisation structurée et une analyse psychologique nuancée. La paternité en revient à Romain Rolland avec *Jean-Christophe* (1903-1912) qui narre en dix volumes la vie d'un musicien animé d'un très grand humanisme.

□ La génération des romanciers de 1930 cherche à retracer l'expérience spirituelle d'une époque : c'est le cas de Jacques de Lacretelle avec *Les Hauts-Ponts* (1932-1935), Roger Martin du Gard avec *Les Thibault* (1922-1940) et Jules Romains avec *Les Hommes de bonne volonté* (1932-1947).

L'inquiétude spirituelle

□ Des romanciers catholiques s'interrogent sur la conscience d'individus confrontés au mal, à la recherche de leur salut. François Mauriac (1885-1970) montre le long cheminement vers une rédemption chrétienne d'êtres épris d'absolu. Georges Bernanos (1888-1948) fait de la figure du prêtre tourmenté le symbole de la lutte du bien contre le mal.

□ Même si les dualités chrétiennes du bien et du mal subsistent clairement, leurs œuvres présentent des personnages inquiétants, aux âmes troubles qui n'ont rien de rassurant pour les « bien-pensants » que dénonce Bernanos.

Les romans de la grandeur humaine

La réflexion se concentre sur le sens des actions héroïques. Antoine de Saint-Exupéry (1900-1944) prône la solidarité et le dépassement de soi. Les personnages de Malraux découvrent le sens de la participation au devenir du monde. L'héroïsme d'Albert Camus consiste à dépasser le constat de l'absurdité de la condition humaine et à adopter une éthique de l'admiration pour l'homme et le monde. Ces romanciers ouvrent la voie à un nouvel humanisme fondé sur la responsabilité.

La nature salvatrice

Une poignée de romanciers s'accroche à la défense du terroir au nom d'une philosophie morale. Maurice Genevoix (1890-1980) est animé d'une grande pureté d'âme et d'un respect touchant pour la nature. Jean Giono (1895-1970) décrit avec lyrisme la lutte fraternelle de l'homme contre les éléments de la nature. Ces romanciers sont les témoins d'une vie rustique authentique. La fraîcheur des sentiments est traduite par leur plume aux accents simples et poétiques.

MALRAUX et CAMUS :
deux romanciers de la condition humaine

André Malraux,
Né en 1901 à Paris
Mort en 1976 à
Verrières-le-Buisson

Formation : autodidacte.
Amitié : de Gaulle (qu'il rencontre
en 1945).
Passion : art khmer.
Carrière : archéologue au Cambodge,
journaliste à Saïgon, romancier, ministre
de l'Information (1945-1946), ministre
chargé des Affaires culturelles
(1959-1969), essayiste et critique d'art.
Engagement politique : communiste
engagé contre l'hitlérisme, lutte aux côtés
des républicains espagnols, résistant en
1944, participe à la reconquête des
territoires occupés.
Signe particulier : a fondé les maisons
de la culture.

Albert Camus
Né en 1913 à Mondovi
en Algérie
Mort en 1960 d'un accident
de la route à Villeblevin

Formation : études de philosophie.
Carrière : courtier maritime, journaliste à
Alger puis à Paris, rédacteur en chef du
journal *Combat,* essayiste, romancier et
dramaturge.
Engagements : résistant, milite en faveur
des déshérités, lancera en 1956 un appel
aux musulmans en faveur de la trêve en
Algérie, écrit avec Koestler pour
l'abolition de la peine de mort.
Signe particulier : souffre de la
tuberculose (qui l'empêchera de passer
son agrégation de philosophie et de
s'engager lors de la Seconde Guerre
mondiale).

■ L'œuvre d'André Malraux

Romancier de la grandeur humaine, Malraux prône la nécessité pour l'homme de refuser de vivre dans l'absurde face au monde tragique qui l'étouffe. Son style est à l'image de cette idée : lapidaire et riche en formules fracassantes parfois, d'autres fois lyrique et incantatoire. Il a une prédilection pour les grandes scènes dialoguées qui permettent au lecteur de s'identifier aux personnages et de chercher avec eux un sens à leur vie. Pour ses contemporains, il incarne l'alliance parfaite entre l'écriture et le réel.
Ses œuvres majeures :
— les romans : *Les Conquérants* (1928), *La Voie royale* (1930), *La Condition humaine* (1933), *L'Espoir* (1937) ;
— les essais : *Les Voix du silence* (1951), *Les Antimémoires* (1967).

■ L'œuvre d'Albert Camus

La prise de conscience de l'absurdité de la vie dont la seule certitude est la mort conduit Camus à l'idée que l'homme doit vivre « sans appel » et profiter des joies de cette terre : c'est l'idée principale de l'essai *Le Mythe de Sisyphe* (1942), du roman *L'Étranger* (1942) et des deux pièces *Caligula* (1944) et *Le Malentendu* (1944).
Puis Camus exprime une nouvelle profession de foi dans la solidarité, qui peut donner un sens à la vie humaine : ce nouvel humanisme apparaît dans le roman *La Peste* (1947), dans la pièce *Les Justes* (1950) et dans l'essai *L'Homme révolté* (1951). Ensemble, les hommes doivent combattre contre tout ce qui asservit l'individu et le conduit à la mort.

| MOYEN ÂGE |
| XVIe SIÈCLE |
| XVIIe SIÈCLE |
| XVIIIe SIÈCLE |
| XIXe SIÈCLE |
| **XXe SIÈCLE** |

Le théâtre de l'entre-deux-guerres

Très populaires, les dramaturges de l'entre-deux-guerres cultivent le goût du public. Toutefois le théâtre s'oriente vers un renouvellement des théories de la scène et vers des tendances humanistes et philosophiques.

Renouvellement du théâtre de boulevard

☐ Le roman fleuve, ainsi intitulé parce que le récit s'y déroule selon un fort débit, se caractérise par une organisation structurée et une analyse psychologique nuancée. La paternité en revient à Romain Rolland avec *Jean-Christophe* (1903-1912) qui narre en dix volumes la vie d'un musicien animé d'un très grand humanisme.

☐ À côté de ce théâtre superficiel mais brillant se développe un théâtre de boulevard sentimental avec Marcel Achard (1899-1974) qui crée des personnages ridicules mais touchants (*Jean de la Lune* en 1929). Jules Romains (1885-1972) retrouve le goût de la farce à la manière de Molière avec *Knock* (1923). Marcel Pagnol (1895-1974) dans la trilogie de *Marius, César* et *Fanny* adopte une écriture pittoresque. Tous ces auteurs se montrent plus incisifs dans la satire et plus inventifs dans la langue que leurs prédécesseurs.

Les drames de l'inquiétude

☐ Dans ses comédies, Armand Salacrou dégage des intentions nouvelles : *L'Inconnue d'Arras* (1935) fait éclater le temps et l'espace scéniques : le héros, hanté par l'irréversibilité du temps, revit toute son existence entre le moment où il se tire une balle dans le cœur et celui où il expire.

☐ Jean Anouilh se montre original dans le choix des situations : les conflits, portés à l'extrême, font éclater l'opposition entre de jeunes idéalistes et leurs aînés, plus compromis. Il se livre ainsi à une satire acerbe de la bourgeoisie dans un climat de fantaisie poétique. Il se montre fondamentalement pessimiste : toute son œuvre (et, en particulier, *L'Hermine* en 1932, *La Sauvage* en 1934, *Antigone* en 1944) condamne ce qui porte atteinte à la pureté originelle des êtres.

L'humanisme de Giraudoux

☐ Dans toutes ses pièces, Giraudoux est à la recherche d'un personnage qui soit pleinement humain : *Ondine*, déesse des eaux, choisit la condition humaine pour aimer un homme. Alcmène, dans *Amphytrion 38* (1929) exploite toutes les ressources de la tendresse humaine pour mettre en échec le complot des dieux ; *Électre* va jusqu'au bout de sa vérité. Giraudoux rompt avec le théâtre d'intrigue et de caractères pour poser des questions tragiques, toujours sous couvert de fantaisie et dans une langue élégante et subtile.

☐ Pour lui, le théâtre doit susciter l'émerveillement, donner à réfléchir, à rêver et à créer. L'homme est ainsi purgé de son quotidien et « se laisse remettre en jeu dans l'émotion universelle ».

GIRAUDOUX : le tragédien fantaisiste

Jean Giraudoux
Né en 1882 à Bellac (Haute-Vienne) ; il est surnommé « l'Apollon de Bellac ». Mort en 1944 à Paris

Formation : études classiques à Châteauroux, puis à Sceaux, entre à l'École normale supérieure en 1903 ; il se spécialise dans les études germaniques.
Carrière : diplomate (jusqu'en 1928), romancier, dramaturge (à partir de 1928), commissaire à l'Information avant la guerre.
Amitié : Louis Jouvet, qui l'a poussé à écrire pour le théâtre.

■ Le théâtre de Giraudoux

Jean Giraudoux crée un nouvel espace théâtral tragique empreint de fantaisie. Il a besoin de se démarquer du réel pour écrire. Son dessein est de nous mettre à distance du tragique par le mélange des tons, la poésie et l'humour.
En une dizaine d'années, Giraudoux écrit une dizaine de pièces, toutes mises en scène par Louis Jouvet. Parmi les plus connues : *Siegfried* (1928), *Amphytrion 38* (1929), *Intermezzo* (1933), *La Guerre de Troie n'aura pas lieu* (1935), *Électre* (1937), *Ondine* (1939).

Représentation de *Ondine* (Comédie-Française, 1974).

■ L'inspiration mythologique

L'entre-deux-guerres voit le retour des mythes antiques. Cocteau en est l'initiateur avec *Orphée* (1927). Pendant vingt ans, les pièces aux sujets mythologiques se succèdent. Les légendes grecques sont interprétées, réactualisées et orientées vers des interrogations philosophiques contemporaines. Les mythes de prédilection sont Orphée et Eurydice, Œdipe et Antigone...
Jean Giraudoux en reprend un très grand nombre dans son œuvre (*Électre, La Guerre de Troie, Amphytrion 38*) et les interprète à sa manière : dans *Amphytrion 38*, il inverse le mythe de la sagesse divine opposée à la folie humaine en faisant du couple humain un modèle de vertu. Dans *La Guerre de Troie n'aura pas lieu,* la guerre de Troie est prétexte à une réflexion sur l'absurdité de la guerre...

Évolution de la mise en scène

Les metteurs en scène français s'appuient sur les réflexions de l'Anglais Craig, du Russe Stanislavski et du Suisse Appia.
Dès 1913, Jacques Copeau ne veut conserver dans la mise en scène que les éléments à valeur symbolique. Les meilleurs disciples constituent *le Cartel* en 1927 : Baty accorde la première place au machinisme ; Pitoëff diffuse le répertoire étranger en France et réfléchit sur la vérité du jeu de l'acteur ; Dullin, fondateur du théâtre de l'Atelier, mêle le texte à la musique et aux pantomimes ; Jouvet cherche à mettre les textes en valeur par le décor et le jeu de l'acteur, sans effet spectaculaire. Antonin Artaud, ancien surréaliste, prône une mise en scène brutale, onirique, excessive et fantasmatique qui libère l'inconscient.

MOYEN ÂGE

XVIᵉ SIÈCLE

XVIIᵉ SIÈCLE

XVIIIᵉ SIÈCLE

XIXᵉ SIÈCLE

XXᵉ SIÈCLE

La littérature engagée

Après la Grande Guerre, un vent d'inquiétude conduit les penseurs à remettre en cause les philosophies idéalistes. La Seconde Guerre mondiale et l'expérience de la Résistance accentuent cette prise de conscience qui se traduit par des œuvres de révolte et par la naissance de philosophies de la condition humaine.

L'écriture de la révolte

☐ Mobilisé pendant la guerre de 14 et affligé par le cataclysme de la Seconde Guerre, Louis-Ferdinand Céline (1894-1961) en tire un pessimisme radical qui se manifeste par l'obsession de la mort. Sa force réside dans le langage qui tourne en dérision le désespoir. L'utilisation de la langue parlée et de néologismes est propre à accentuer l'émotion et l'indignation.

☐ Bardamu, héros du *Voyage au bout de la nuit* (1932), vit les expériences de l'auteur : par ses aventures, Céline traduit l'absurdité de la vie et sa révolte devant la guerre, le colonialisme et la médiocrité.

Résistance et collaboration littéraires

☐ Sous l'Occupation, la production littéraire est riche mais souvent clandestine en raison de la censure nazie qui interdit les ouvrages d'auteurs juifs ou anti-hitlériens.

☐ Les écrivains collaborationnistes, groupés autour de Pierre Drieu La Rochelle, qui a pris la direction de la *Nouvelle Revue française,* ne manquent pas : Céline, Montherlant, Brasillach...

☐ Dans certaines œuvres, la Résistance est diffuse ou tacite. Dans d'autres, elle est nette et militante : *Le Silence de la mer* de Vercors (1942) en est la plus célèbre illustration.

☐ La nécessité de l'engagement sous l'Occupation conduit Sartre à réfléchir sur les rapports de l'être avec sa conscience : il en déduit une philosophie fondée sur l'action, l'existentialisme. Cette pensée philosophique anime ses romans et ses pièces. Sartre part toujours de documents, témoignages ou reportages. Grâce à lui, la littérature se rapproche de la vie.

Le roman idéologique

☐ Plus radical que le roman de la Résistance, le roman idéologique fait l'apologie du communisme. Louis Aragon, poète populaire de la Résistance, écrit le premier des six volumes prévus du roman *Les Communistes* pour montrer le rôle que le parti communiste a joué pendant la guerre et doit jouer dans la vie politique de l'après-guerre. À sa suite, Roger Vailland (1907-1965) défend le courage et la ferveur des militants communistes, principaux héros de ses romans.

☐ Parallèlement à cette inspiration idéologique, se développe le roman réaliste de la guerre. Littérature de témoignages, ces romans tentent de donner à l'Occupation une valeur symbolique universelle.

SARTRE :
la philosophie en action

Jean-Paul Sartre
Né en 1905 à Paris
Mort en 1980 à Paris

Famille : petit-neveu d'Albert Schweitzer.
Études : École normale supérieure, agrégation de philosophie.
Amitiés : Raymond Aron, Paul Nizan.
Amour : Simone de Beauvoir, philosophe et romancière (1908-1986) qui reste la compagne de sa vie.
Métiers : professeur de philosophie jusqu'à la Libération, puis se consacre à la littérature ; fondateur et directeur de la revue *Les Temps modernes* ; directeur des journaux *La Cause du peuple* et *Libération.*
Signe particulier : aveugle à partir de 1973.

■ Les œuvres principales de Sartre

L'œuvre romanesque

1938 : *La Nausée* : Antoine Roquentin raconte l'histoire de sa conscience où domine l'angoisse d'exister qui provoque sa nausée.

1963 : *Les Mots* : ouvrage autobiographique qui expose les raisons et les contingences qui ont poussé l'auteur à lire puis à écrire.

L'œuvre dramatique

1944 : *Les Mouches* reprend le mythe d'Oreste et pose la question de la responsabilité personnelle.

1944 : *Huis Clos* expose sous forme métaphorique la difficile relation à autrui.

1948 : *Les Mains sales* montre l'idéologie révolutionnaire en lutte avec la conscience individuelle.

L'œuvre philosophique

1943 : *L'Être et le Néant* et en 1946 : *L'Existentialisme est un humanisme.*

L'œuvre de critique littéraire

Entre 1947 et 1976 : dix volumes appelés *Situations* consacrés à divers écrivains.

1971-1973 : *L'Idiot de la famille,* consacré à Flaubert.

■ L'existentialisme

L'existentialisme, philosophie inventée par Sartre, découle de la phénoménologie de Husserl. L'homme construit son identité à partir de sa manière d'exister : l'existence précède l'essence. Il devient homme par sa relation à autrui et au monde, par ses choix et la façon dont il use de sa liberté.

La liberté d'autrui est néanmoins un obstacle à un épanouissement totalement personnel de l'homme. Par ailleurs, toute décision personnelle a des incidences sur autrui. Tenant compte de ces deux réflexions, Sartre construit avec l'existentialisme une morale fondée sur l'action et la conscience qui engagent l'humanité.

■ Jean-Paul Sartre et Simone de Beauvoir

Née à Paris en 1908, S. de Beauvoir rencontre J.-P. Sartre en préparant l'agrégation de philosophie à laquelle tous deux sont reçus en 1929. Elle devient sa compagne. Leurs pensées se rejoignent ; les unit aussi une même révolte contre leur milieu bourgeois d'origine.

L'action militante de Sartre

Après avoir milité dans les rangs communistes, Sartre se refuse à toute alliance avec eux à partir de 1956, année de sa rupture avec le Parti. Il consacre les dernières années de sa vie à l'action militante, essentiellement à travers les deux journaux qu'il dirige. Il défend toutes les causes des droits de l'homme contre l'autorité (guerre d'Algérie, mai 1968...).

| MOYEN ÂGE |
| XVIe SIÈCLE |
| XVIIe SIÈCLE |
| XVIIIe SIÈCLE |
| XIXe SIÈCLE |
| **XXe SIÈCLE** |

Souffles poétiques

> Avec la Résistance, le poète était devenu chantre de la liberté. L'après-guerre voit l'éveil d'une sensibilité spirituelle qui continue à dire sa reconnaissance au surréalisme. La disparition des écoles poétiques fait cependant naître une réflexion plus libre sur les rapports du poète au monde et à la poésie.

La poésie de la transcendance

☐ Le désengagement de l'après-guerre pousse les poètes à retrouver la pureté et l'essence du langage poétique. La poésie devient le rêve d'une totalité.

☐ Saint-John Perse invente une nouvelle forme d'épopée par l'exaltation de la beauté du monde et de ses éléments en choisissant le rythme incantatoire et solennel du verset. Il déploie les thèmes de la naissance et de la mort sur le mode de la louange ou sur un ton laconique.

☐ René Char aspire à la communion étroite de l'homme et de la nature par la réconciliation des contraires qu'il illustre au moyen de la figure privilégiée de l'aphorisme.

Des poésies mystiques

Des formes de poésie prophétique recherchent l'absolu à travers le lyrisme de la prière. Marie Noël, Patrice de La Tour du Pin et Pierre-Jean Jouve s'inspirent des thèmes bibliques et évangéliques pour approfondir leur connaissance de Dieu. Pour eux, la poésie est une quête menée par le biais du symbole. Leurs œuvres visent à une réconciliation permanente de la chair et de l'esprit pour atteindre une rédemption totale.

Le parti pris des choses

☐ Les trente-deux poèmes du *Parti pris des choses* (1942) de Francis Ponge définissent un nouveau type de rapport poétique au monde : découvrir par le jeu du langage les multiples aspects des plus humbles objets quotidiens. Les choses apparaissent dans leur beauté et non plus dans leur utilité, au point qu'elles ne sont plus que prétextes à une jouissance esthétique.

☐ Il s'agit de « céder l'initiative aux choses », donner aux choses leur expression pour qu'elles deviennent paroles.

Fantaisie et anarchie en poésie

Anarchiste de tempérament et d'éducation (enfant des rues et de la bohême parisienne), Jacques Prévert est attentif à tout ce qui traduit la liberté de pensée et du langage. Dans son recueil *Paroles* (1946), il attaque la guerre, la misère et le conformisme bourgeois sur le mode fantaisiste : évocation des spectacles de rues, des rêves tendres de l'enfance, de l'amour libre, dans un style simple, parfois argotique, qui a permis son adaptation en chansons.

CHAR et SAINT-JOHN PERSE :
deux puissantes paroles poétiques

René Char,
Né en 1907 à l'Isle-sur-la-Sorgue (Vaucluse)
Mort en 1988 à l'Isle-sur-la-Sorgue

Marie-René Alexis Saint-Léger Léger
Pseudonyme :
Saint-John Perse
Né en 1887 en Guadeloupe
Mort en 1975 dans le Var

Itinéraire : école de commerce de Marseille qu'il abandonne pour se tourner vers la littérature aux côtés des surréalistes ; mobilisé en 1939, il entre dans la Résistance et devient chef du réseau de Provence.
Amitiés : les poètes Eluard, Aragon, Breton, les peintres Georges Braque et Nicolas de Staël et le musicien Pierre Boulez.

Métiers : diplomate, il devient secrétaire général des Affaires étrangères ; conseiller à la Library of Congress de Washington.
Signe particulier : révoqué par le gouvernement de Vichy, s'est retiré aux États-Unis en 1940, ce qui explique sa renommée plus grande à l'étranger qu'en France ; c'est un des poètes les plus traduits.

■ La pulvérisation et la fulgurance

Les titres de trois recueils de René Char évoquent l'éclatement de la parole poétique : *Le Poème pulvérisé* (1947), *La Parole en archipel* (1962) et *Arrière-histoire du poème pulvérisé* (1951). Le thème principal en est la lutte quotidienne du poète parmi les hommes et son rôle philosophique.

Le poète s'écarte du récit poétique pour lui substituer des fragments (versets brefs ou isolés, strophes réduites à un ou deux vers) qui montrent les conflits entre les êtres et entre les choses et l'absence de continuité de notre perception du temps. Le monde apparaît paradoxal dans toutes ses manifestations.

Char ne s'arrête pas à cette constatation mais vise à chaque instant à recréer, par le langage, l'harmonie qui résulte de l'alliance des contraires : fidèle aux philosophes présocratiques, il fait naître la vérité de cette réconciliation.

■ Un rythme cosmique

La poésie de Saint-John Perse est liée aux rythmes cosmiques qui reproduisent les mouvements de l'esprit en train de créer : naissance, épanouissement et disparition (*Vents*, 1946, *Amers*, 1957). La langue mêle les termes concrets, souvent recherchés, aux termes abstraits pour traduire l'unité du mouvement créateur. L'œuvre regorge de mythes exotiques, fantastiques et mystiques qui figurent l'aventure intérieure du poète. Inspirée de l'œuvre claudélienne, la poésie est souvent ici aussi témoignage spirituel et sujet même du poème.

L'interférence des arts

La collaboration entre artistes de disciplines différentes est fréquente dans les œuvres de l'après-guerre (Char et Nicolas de Staël, Pierre Boulez et Georges Braque par exemple). Elle correspond au désir d'atteindre une totalité artistique à travers une recherche esthétique commune.

MOYEN ÂGE

XVIᵉ SIÈCLE

XVIIᵉ SIÈCLE

XVIIIᵉ SIÈCLE

XIXᵉ SIÈCLE

XXᵉ SIÈCLE

Le théâtre de l'absurde

Le théâtre de l'absurde en France a curieusement été inventé par trois auteurs étrangers : le Roumain Ionesco, l'Irlandais Beckett et le Russe Adamov. Leur recul par rapport à la langue française leur a donné une perception aiguë de l'incommunicabilité entre les êtres, qui fait le tragique de la modernité occidentale.

Dépression et désespoir au quotidien

□ Les thèmes obsessionnels de ces auteurs sont le vieillissement, la mort, l'enfermement, la peur et l'attente. Dans ce climat, aucune valeur ne résiste : ni l'amour, ni l'honnêteté, ni l'action. Dans le théâtre de Beckett, les personnages n'ont pas de rôle à jouer. Ils se bornent à attendre, en vain, que quelque chose vienne rompre le cours de leur vie misérable et ils meublent le temps de la représentation par l'évocation précise, dérisoire, absurde, de leurs faits et gestes quotidiens.

□ Ce théâtre tient pourtant en haleine car les dialogues sont pleins de jeux de mots, les situations souvent farcesques, et les accessoires volontiers grotesques, comme pour mieux relever l'insignifiance de la condition humaine.

Un anti-théâtre

Les pièces de Beckett et de Ionesco se caractérisent d'abord par une absence d'intrigue et de ressort dramatique. L'évolution d'une scène à l'autre ne résulte jamais d'une action mais du hasard de l'évolution du langage. Tout réalisme est évacué et aucune analyse du comportement n'est possible. Ce sont les raisons fondamentales qui ont conduit Ionesco à baptiser sa première pièce, *La Cantatrice chauve,* « antipièce », et tout le théâtre ultérieur de cette veine, « antithéâtre ».

La crise du langage

□ Ionesco détruit le langage théâtral dans tout ce qu'il peut avoir de rhétorique. Le langage se réduit à des bribes de conversation, du rabâchage, des onomatopées. Il sert à tout, sauf à communiquer.

□ Dans le théâtre de Beckett, les répliques sont courtes, entrecoupées de silences et de gestes. Mais, là encore, le dialogue est vain car les personnages n'ont pas de mémoire. Aucun échange ne peut s'instaurer.

Le retour du tragique

□ Cette dérision marque et révèle en même temps une angoisse existentielle profonde. Une menace semble peser sur les personnages, et jamais l'attention du public n'est détournée du spectacle de la scène, où pourtant il ne se passe rien. Le plus pur tragique est ici l'impuissance humaine.

□ Malgré leur étrangeté, le tragique de ces situations nous semble familier. Tant il est vrai que l'identification avec la condition des personnages se fonde sur l'angoisse existentielle ressentie souvent douloureusement par les spectateurs eux-mêmes.

IONESCO et BECKETT :
prolifération et dépouillement

Eugène Ionesco
Né en 1912 à Slatina en Roumanie d'un père roumain et d'une mère française

Itinéraire : passe son enfance à Paris, poursuit des études de littérature française à Bucarest, y enseigne le français, puis revient en France.
Signe particulier : Son œuvre connaît un succès ininterrompu depuis 1950 : *La Cantatrice chauve* et *La Leçon* sont jouées sans interruption depuis 1957.

Samuel Beckett
Né en 1906 à Foxrock près de Dublin
Mort en 1989 à Paris

Études : après des études secondaires en Irlande, lectorat d'anglais à l'École normale supérieure à Paris.
Amitiés : James Joyce, Ezra Pound.
Signe particulier : résistant, a été ouvrier agricole pendant la guerre.

■ Ionesco, tragédies du comique

1950 : *La Cantatrice chauve* : dans un salon anglais des personnages devisent ; mais leur conversation dégénère et, peu à peu, les jeux du langage la rendent incohérente.
1951 : *La Leçon* : un professeur terrorise progressivement son élève avec l'arithmétique puis les langues « néo-espagnoles » avant de la tuer dans un accès de folie.
1952 : *Les Chaises* : un vieux couple parle devant un parterre qui peu à peu se remplit de chaises vides.
1960 : *Le Rhinocéros* : dans une petite ville, chacun se métamorphose en rhinocéros, symbole de la montée du fascisme. Béranger, qui résiste au mouvement commun, se retrouve complètement isolé.
1962 : *Le roi se meurt* : dans un royaume aux dimensions cosmiques, le roi Béranger se rend compte qu'il va mourir ; plus sa mort approche, plus son royaume se dégrade et se rétrécit ; à la fois puéril et émouvant, Béranger se révolte, se désespère et finit par se résigner.

Oh ! les beaux jours
de Samuel Beckett (1981),
avec Madeleine Renaud.

■ Beckett ou l'insoutenable attente

1953 : *En attendant Godot* : dans un décor presque vide, sur un banc, deux clochards discutent de tout et de rien en attendant Godot. Lucky, une sorte de clown sadique, et son esclave Pozzo viennent un temps faire diversion. Puis les deux clochards reprennent leur conversation tout en attendant Godot qui ne viendra jamais.
1957 : *Fin de partie* : un vieillard mourant, son serviteur et les très vieux parents du vieillard qui émergent de temps en temps d'une poubelle pour réclamer leur bouillie, attendent la mort.
1963 : *Oh ! les beaux jours* : une vieille femme enterrée jusqu'à la taille chante la vie en s'accrochant à son quotidien.

MOYEN ÂGE

XVIe SIÈCLE

XVIIe SIÈCLE

XVIIIe SIÈCLE

XIXe SIÈCLE

XXe SIÈCLE

Le Nouveau Roman

Né dans les années 1950, le Nouveau Roman marque une volonté de recherche toujours renouvelée, en réaction contre les composantes du roman traditionnel. Prenant Balzac pour cible, les nouveaux romanciers remettent en question le statut du personnage, de la description, et la fonction même du roman.

Crise du personnage romanesque

☐ Dans le Nouveau Roman, le personnage romanesque se réduit au degré zéro : il n'a souvent pas de nom (il est soit un « je » anonyme, soit une initiale), pas de passé, pas de famille ; en un mot il est sans identité, sans référence historique ou géographique, sans réalité. Sa présence se justifie par la seule nécessité du langage.

☐ Chez Nathalie Sarraute, dont l'œuvre marque la première crise du personnage romanesque, le personnage disparaît au profit de la reproduction de ses mouvements psychologiques et préconscients dans un monologue intérieur : c'est le procédé de la « sous-conversation ». Elle reproduit le plus souvent un conflit de générations qui se cristallise autour d'un événement ou d'un objet insignifiant.

Une littérature objective

☐ De même, il ne s'agit plus de représenter la réalité ou de la copier mais au contraire de créer un univers neuf qui n'ait de cohérence que dans son propre système. Comme dans la peinture abstraite, où les formes ne renvoient plus à des objets, les mots des nouveaux romans ne renvoient à rien si ce n'est au discours interne du roman.

☐ Le fil du roman est le mouvement même de l'écriture. Le texte se trame autour de plusieurs thèmes qui évoluent simultanément et s'entrecroisent. Le roman devient alors le roman du roman et du langage. Il n'est plus selon la célèbre formule de Jean Ricardou « l'écriture d'une aventure » mais « l'aventure d'une écriture ».

☐ Les nouveaux romans sont caractérisés par une fascination pour les objets qui sont décrits avec une minutie telle que la description ne correspond plus à aucune réalité perceptible : Robbe-Grillet adopte une précision de géomètre qui condamne à elle seule le réalisme descriptif.

La fonction des répétitions

☐ La répétition est souvent le principe du Nouveau Roman. Le procédé de la série, reprise constante de thèmes avec de légères variations, comme des mouvements musicaux, constitue l'organisation du récit. L'œuvre perd sa linéarité pour ne plus constituer qu'un ensemble.

☐ La narration ne suit pas d'ordre chronologique ; elle est guidée par une conception cyclique du temps. Aussi les Nouveaux Romanciers usent-ils de tous les temps verbaux sans qu'il soit souvent possible de restituer un ordre temporel. Leurs œuvres sont avant tout des métaphores de la discontinuité du monde.

LES NOUVEAUX ROMANCIERS

■ La naissance du Nouveau Roman

Comme pour nombre de mouvements littéraires, les théories du Nouveau Roman ne font que ratifier une pratique diffuse chez nombre d'écrivains sans autre point commun.

Les Nouveaux Romanciers, bien que très différents par leur style et leurs conceptions, revendiquent leur appartenance à une lignée d'écrivains qui, d'une manière ou d'une autre, ont fait fi des conventions romanesques traditionnelles : Flaubert et son ironie descriptive, James Joyce et sa conception cyclique du roman, Proust et sa volonté de reproduire les mouvements de la conscience...

Le terme de « Nouveau Roman » est apparu pour la première fois sous la plume du critique Émile Henriot pour qualifier *La Jalousie* de Robbe-Grillet et une réédition des *Tropismes* de Nathalie Sarraute qui rejetaient l'intrigue pour se borner à la description des objets ou à la vie intime de la conscience.

■ Les différents types de Nouveaux Romans

Le premier Nouveau Roman : c'est le roman des années 1950, marqué par l'esprit contestataire qui récuse les conventions romanesques et tente de nouveaux types d'écriture : la sous-conversation pour Nathalie Sarraute, l'enlisement dans la description pour Robbe-Grillet, la reconstitution d'une temporalité propre au récit pour Michel Butor. Les écrits théoriques de ce type de roman sont : *L'Ère du soupçon* de Nathalie Sarraute (1956), *Pour un nouveau roman* de Robbe-Grillet (1963), et *Essais sur le roman* de Michel Butor (1964).

Le « nouveau Nouveau Roman » : ce type de roman s'attache davantage à la manifestation d'une aventure de l'écriture et aux jeux textuels. Il est représenté en particulier par Philippe Sollers avec *Drame* (1965) et *Nombres* (1968), et par Robbe-Grillet avec *La Maison du rendez-vous* (1965).

Une image tirée du film *Hiroshima, mon amour*, d'Alain Resnais et Marguerite Duras.

Les Nouveaux Romans les plus célèbres

— Nathalie Sarraute : *Tropismes* (1939), *Portrait d'un inconnu* (1949), *Martereau* (1953), *Le Planétarium* (1959).
— Alain Robbe-Grillet : *Les Gommes* (1953), *La Jalousie* (1957).
— Michel Butor : *L'Emploi du temps* (1956), *La Modification* (1957).
— Claude Simon : *La Route des Flandres* (1960), *Les Géorgiques* (1981).
— Marguerite Duras : *Moderato Cantabile* (1958).

MOYEN ÂGE

XVIe SIÈCLE

XVIIe SIÈCLE

XVIIIe SIÈCLE

XIXe SIÈCLE

XXe SIÈCLE

Les théories critiques

Trois tendances intellectuelles marquent profondément la critique au XXe siècle : la psychanalyse, le marxisme et le structuralisme. La critique n'est plus la réflexion subjective d'un homme sur une œuvre mais devient une méthode théorique élaborée à partir des découvertes des sciences humaines.

Crise de la critique

☐ La critique des années 1960 se caractérise par la disparition du jugement et correspond à l'émergence du Nouveau Roman. Celui-ci cristallise la crise de la littérature qui perd sa subjectivité : la notion d'œuvre disparaît au profit de celle de texte.

☐ Les œuvres de cette époque supposent une connaissance critique pour être comprises, les critiques étant souvent écrivains et vice versa.

Conscience et inconscient

☐ Tout au long du siècle, une lignée de critiques reste fidèle à Freud et à Lacan. Leur idée principale est que le texte est un discours inconscient que seule la méthode analytique permet d'explorer. Jean Bellemin-Noël invente la notion de textanalyse qui consiste à analyser les fantasmes récurrents d'un texte.

☐ Bien souvent, l'étude psychanalytique vient compléter l'analyse linguistique. Des critiques comme Jean Starobinski choisissent, dans une œuvre, un texte emblématique qui rend compte à la fois de l'écriture du livre et de l'inconscient de son auteur.

Le structuralisme

☐ Le structuralisme ne cherche plus à dégager des significations du texte, mais à examiner comment celles-ci sont produites à travers les constructions et les récurrences. Les structuralistes considèrent le discours comme un tout en soi qui ne renvoie qu'à lui-même ; le langage dans le texte est autonome.

☐ Pour Roland Barthes, il s'agit d'interpréter tous les écarts par rapport aux normes du langage, signifiant de base qu'il nomme « degré zéro ». La sémiologie cherche dans l'univers des signes et des figures de la langue ce qui « fait sens ».

☐ Lévi-Strauss invente un structuralisme anthropologique qui interprète les contenus symboliques des faits de langue.

L'exploration de l'imaginaire

☐ Certains critiques choisissent une perception particulière pour interpréter l'œuvre dans son intégralité. Georges Poulet s'intéresse à la complexité des variations du temps et de l'espace, reflets de l'imaginaire du narrateur. Jean Starobinski est sensible à l'étude du regard sous toutes ses formes dans l'œuvre.

☐ S'inspirant des travaux de Bachelard sur l'imaginaire, Jean-Pierre Richard focalise son attention sur les sensations et les obsessions récurrentes dans les œuvres, en s'appuyant sur la linguistique et la psychanalyse.

LECTURES DIVERSES

Les critiques littéraires contemporains proposent des lectures nouvelles d'œuvres classiques à partir de schémas d'analyse définis d'avance.

■ La lecture structuraliste

— Lucien Greimas étudie l'œuvre de Maupassant en analysant les fonctions de la narration selon une dynamique de vingt notions qui s'attirent ou se repoussent : interdit/transgression, enquête/information, tromperie/complicité, etc.

— Gérard Genette part de l'étude du temps, des modes, de la voix, du narrateur et du destinataire pour expliquer le fonctionnement du discours proustien.

— Tzvetan Todorov s'applique à définir le genre fantastique d'après un échantillon de textes représentatifs.

— Philippe Lejeune axe sa recherche sur le fonctionnement du texte autobiographique.

■ La lecture socio-critique

— Jean-Paul Sartre associe la lecture marxiste et l'approche psychanalytique pour montrer comment l'œuvre de Flaubert progresse par va-et-vient entre la vie de l'auteur et ses aspirations d'écrivain.

— Lucien Goldmann rapproche les écrits de Racine et de Pascal pour analyser le phénomène du jansénisme : il vise à démontrer comment évolue une structure littéraire à partir des mutations des groupes sociaux.

— Pierre Barbéris consacre ses études à Chateaubriand et Balzac et démontre que leur imaginaire est imprégné d'une dimension historique et idéologique.

■ La lecture psychanalytique

— Georges Poulet étudie les variations et modulations de l'espace et du temps, dans l'œuvre de Flaubert particulièrement, pour rendre compte de la complexité de la conscience du narrateur.

— Starobinski part du principe que la démarche critique est un regard qui fait « rendre sens » à une œuvre par excès de mimétisme ou de distance par rapport au texte. Il élabore sa théorie à partir des œuvres de Rousseau et de Montaigne.

— Gilbert Durand dégage un itinéraire archétypique du héros romanesque à partir des aventures de Fabrice del Dongo, dans *La Chartreuse de Parme*.

■ L'analyse du phénomène poétique

— Roman Jakobson (dans une célèbre analyse des *Chats* de Baudelaire) qualifie la fonction poétique de « magique » : est qualifié de « poétique » tout message qui ne se soucie pas de transmettre quelque chose.

Les revues de critique littéraire

Critique : Fondée en 1946 par Georges Bataille.

Tel Quel : Fondée en 1960 par Philippe Sollers et Denis Roche.

Communications : Fondée en 1963 par des membres de l'Ecole des Hautes Études, dont Roland Barthes.

Change : Fondée en 1968 par Jean-Pierre Faye, Jacques Roubaud et Maurice Roche.

Poétique : Fondée en 1970 par Hélène Cixous, Gérard Genette et Tzvetan Todorov.

Littérature : Fondée en 1971 par le département littérature de l'université de Vincennes.

| MOYEN ÂGE |
| XVIe SIÈCLE |
| XVIIe SIÈCLE |
| XVIIIe SIÈCLE |
| XIXe SIÈCLE |
| **XXe SIÈCLE** |

Littératures francophones

L'émergence d'une littérature francophone est paradoxalement liée à la dénonciation du colonialisme ; de fait l'expression de leur propre culture par l'usage de la langue française est le seul moyen de se faire entendre pour les écrivains du Maghreb, de l'Afrique et des Antilles.

La littérature du Maghreb et du Proche-Orient

☐ Depuis les années 1950, trois tendances apparaissent dans l'évolution du roman réaliste maghrébin : critique du colonialisme autant que du traditionalisme de l'Islam (Mouloud Feraoun, Driss Chraïbi), évocation des problèmes d'adaptation au monde moderne (Rachid Boudjedra) et interrogation sur l'immigration (Tahar Ben Jelloun, Nabile Farrès). Plus largement aujourd'hui la littérature francophone du Maghreb s'interroge sur le devenir de ses civilisations.

☐ Georges Schéhadé, dramaturge libanais, a donné un souffle moderne à la culture orientale. Aujourd'hui la littérature libanaise célèbre ses martyrs et pleure la ruine de son pays (Andrée Chédid).

La littérature de l'Afrique noire et des Antilles

☐ Léopold Sédar Senghor, Aimé Césaire et Léon-Gontran Damas, tous trois étudiants à Paris avant la guerre, prennent la tête du mouvement de la négritude, qui cherche à défendre les valeurs culturelles du monde nègre.

☐ La création de la revue *Présence africaine* en 1947 favorise l'édition et la diffusion des œuvres. Certaines, comme *L'Enfant Noir* de Camara Laye (1953), connaissent un franc succès.

☐ La littérature africaine d'aujourd'hui s'interroge sur la manière et le malaise social en Afrique en analysant leurs causes avec lucidité. Une grande importance est accordée à la femme africaine, à son émancipation ; elle est salvatrice de la culture.

La littérature de l'océan Indien

Sa place au carrefour de l'Europe, de l'Afrique et de l'Inde, donne à l'île Maurice une extraordinaire vitalité littéraire. Trois poètes se distinguent : Robert Edward Hart (1881-1954), un des premiers à supprimer le vers en poésie, Loys Masson (1915-1969) qui célèbre les mythes et la culture mauricienne métissée et Malcolm de Chazal (1902-1981), un des maîtres de l'aphorisme poétique, reconnu par les surréalistes.

Les francophones d'Europe

☐ Avec Christian Dotremont, inventeur des logogrammes, la poésie belge est à l'avant-garde de la recherche textuelle.

☐ En Suisse, la langue truculente du pays de Vaud a été reconnue par le prix Goncourt en 1973 (*L'Ogre* de Jacques Chessex). La littérature en Suisse est cependant surtout illustrée par des écrivains étrangers : Georges Haldas, Albert Cohen.

CÉSAIRE et SENGHOR :
écrivains de la négritude

Aimé Césaire
Né en 1913 à la Martinique

Itinéraire : lycée de Fort-de-France, École normale supérieure à Paris, professeur de lettres à la Martinique ; maire de Fort-de-France à partir de 1945, député de la Martinique depuis 1946.

Appartenance politique : communiste jusqu'en 1956, année où il rompt avec le Parti en raison de sa position favorable à l'indépendance des colonies africaines.

Léopold Sédar Senghor
Né en 1906 au Sénégal

Itinéraire : petit séminaire au Sénégal, lycée Louis-le-Grand à Paris, puis École normale supérieure ; agrégé de grammaire en 1935 ; professeur ; député au Sénégal en 1945, président de la république du Sénégal de 1960 à 1979.

Signe particulier : premier académicien africain.

■ *Cahiers d'un retour au pays natal* (1939)

Césaire montre dans les *Cahiers d'un retour au pays natal* comment la négritude a été victime de l'histoire : il donne une image désolée de la Martinique puis évoque les malheurs des hommes en s'identifiant aux cannibales ; selon lui, seul le poète peut conduire sa race vers un relèvement.

Sa poésie litanique, fortement inspirée des images surréalistes, se caractérise par un souffle épique intense donné par l'usage lancinant des répétitions, des évocations réalistes crues et un militantisme puissant.

■ Le primat des sens

Senghor souligne les apports de la culture nègre à l'humanité et prône la valeur du métissage. L'homme noir, plus qu'aucun autre, use de ses sens pour appréhender le monde et autrui. À ce titre, il est doué d'une raison intuitive supérieure. Les poèmes de Senghor regorgent d'images, de rythmes de tam-tam, de lyrisme oral, qui lui donnent un style incantatoire unique.

L'art africain

Dès le début du siècle, Picasso, Braque et Matisse découvrent le symbolisme puissant de la statuaire et des masques africains. Ils sont à l'origine d'un engouement pour l'art nègre qui se manifeste tout au long du siècle par des expositions fréquentes, le triomphe du jazz et du reggae, et des chorégraphies inspirées de danses africaines (Maurice Béjart).

| MOYEN ÂGE |
| XVIᵉ SIÈCLE |
| XVIIᵉ SIÈCLE |
| XVIIIᵉ SIÈCLE |
| XIXᵉ SIÈCLE |
| **XXᵉ SIÈCLE** |

Le roman contemporain

Le roman contemporain s'ouvre à des directions diverses. Si bon nombre de romanciers posent les grandes questions soulevées par l'histoire et témoignent du changement des mentalités, d'autres préfèrent recourir à l'imaginaire ou revenir à des valeurs classiques.

Les nouveaux classiques

☐ Quelques écrivains se distinguent nettement par l'élégance de leur style, classique et narratif, qui laisse une large part aux descriptions et à la transcription d'atmosphères. Ils ont en commun le désir de donner une valeur symbolique moderne à leur écriture qui devient insolite et mystérieuse.

☐ Julien Gracq a le regard du voyageur qui s'attarde dans la contemplation et l'attente pour donner une valeur intime à ce qu'il voit. Marguerite Yourcenar, imprégnée d'une très large culture, choisit des formes variées (romans historiques, autobiographies, traductions libres, contes) dans un même esprit humaniste.

Le goût du fragment

☐ La pratique du fragment relève du désir de rompre avec la linéarité du discours, et de la recherche d'une nouvelle esthétique. Pour Roland Barthes, le fragment est le moment particulier d'un texte plus vaste, idéal, auquel aspire tout écrivain.

☐ Daniel Boulanger, scénariste de plus de vingt films, choisit la forme de la nouvelle qui correspond le mieux à son écriture cinématographique. La forme narrative nouvelle est plus ouverte à toutes les recherches : Mandiargues et Gracq abandonnent le roman pour la nouvelle. De par sa sobriété, celle-ci permet des jeux de langue plus variés qui ne risquent pas de lasser le lecteur.

Témoignages

☐ Les romanciers s'emparent aujourd'hui volontiers d'un fait divers ou d'une expérience personnelle, pour les inscrire dans une forme narrative originale. Marie Cardinal retrace son passé sur le mode psychanalytique, à la recherche de l'origine de ses souffrances. Romain Gary choisit les thèmes de la guerre et du racisme pour dégager une philosophie amère et humoristique des rapports entre les êtres.

☐ Christiane Rochefort, Claire Etcherelli, Rachid Boudjedra transposent dans une langue lyrique la leçon universelle qu'ils tirent d'une expérience conjoncturelle d'oppression (conflit de générations, condition ouvrière, racisme).

Souvenir et fiction

☐ Patrick Modiano choisit comme protagonistes de ses romans des personnages d'une génération antérieure à la sienne. Son imagination se nourrit de souvenirs racontés qu'il n'a pas vécus, auxquels il donne un sens qui explique son existence présente.

☐ Erik Orsenna dresse une reconstitution du décor et des événements des époques passées selon une composition par plans successifs (épisodes, tableaux) dans une écriture allègre qui laisse une large part à l'humour.

Deux univers romanesques modernes : TOURNIER et LE CLÉZIO

Michel Tournier
Né à Paris en 1924
Formation : philosophe, traducteur et homme de radio
Signe particulier : venu tardivement au roman (en 1967)

Jean-Marie Gustave Le Clézio
Né à Nice en 1940
Formation : professeur de lettres
Signe particulier : grand voyageur, isolé de la vie littéraire parisienne

■ Des mythes pour l'homme moderne

Pour Tournier, les mythes (Castor et Pollux, Caïn et Abel, saint Christophe, l'ogre et le petit Poucet, Robinson et Vendredi) proposent au lecteur une histoire déjà connue : le romancier peut élaborer une « alchimie personnelle » et inscrire un commentaire philosophique.

Dans *Vendredi ou les limbes du Pacifique* sont confrontées vie civilisée et vie sauvage. Les problèmes liés au temps et à l'espace, la question du même et de l'autre constituent la trame des *Météores*. *Le Roi des Aulnes* cherche à interpréter les signes et les symboles. Il donne à l'homme moderne le sens du sacré en réinterprétant l'histoire contemporaine en fonction des mythes antiques.

L'écriture de Michel Tournier oscille entre le symbolique et le parodique, le trivial et le lyrique, en quête d'un langage absolu et vrai.

■ Méditation sur l'homme dans l'univers

Le Clézio tente de trouver un sens à l'existence humaine dans le monde moderne privé de la nature originelle. L'univers de ses romans est celui de la ville, des grands ensembles, lieux d'absurde et d'angoisse dont les incohérences et les contradictions sont relevées par des symboles.

L'héroïne de *Désert*, la toute jeune Lalla, vit dans un bidonville, mais elle garde la mémoire de ses ancêtres, les hommes bleus du désert saharien. Elle s'échappe de la ville pour les retrouver dans une nature puissante et bouleversante.

Dix romans des années 80

1980, *Gaspard, Melchior et Balthazar* de Michel Tournier - *Désert* de Jean-Marie Gustave le Clézio.
1981 : *Une Jeunesse* de Patrick Modiano.
1983 : *Femmes* de Philippe Sollers - *La Place* de Annie Ernaux.
1984 : *Les Jardins du consulat* de Angelo Rinaldi - *L'Amant* de Marguerite Duras.
1985 : *Les Noces barbares* de Yann Quéffélec.
1987 : *La Nuit sacrée* de Tahar Ben Jelloun.
1988 : *L'Exposition coloniale* de Erik Orsenna.

Métro de Jean Dubuffet.

MOYEN ÂGE

XVIe SIÈCLE

XVIIe SIÈCLE

XVIIIe SIÈCLE

XIXe SIÈCLE

XXe SIÈCLE

Poésie et théâtre aujourd'hui

> Après avoir suivi des chemins extrêmes, le théâtre et la poésie semblent avoir épuisé leurs recherches sur le texte. Les deux genres ne suivent plus de mouvement général, mais laissent place à de fortes personnalités.

Les voies diverses de la poésie

☐ Deux tendances caractérisent la poésie contemporaine : le goût du poème en prose (avec Yves Bonnefoy et Jacques Réda) et le désir de composer des livres et non plus des recueils (James Sacré organise ses poèmes selon une logique de l'inspiration ; Guillevic les regroupe sur le mode de la variation).

☐ Le groupe de l'Oulipo (OUvroir de LIttérature POtentielle) laisse les mots en liberté à partir de contraintes formelles données d'avance (absence d'un son voyelle ou répétition la plus fréquente possible d'un son).

☐ À la suite de ses recherches, l'interrogation de la poésie sur elle-même se manifeste aujourd'hui par des effusions lyriques, par une réflexion théorique ou par un simple jeu sur les sons : Michel Deguy (né en 1930) s'adonne à l'invention verbale, Denis Roche (né en 1937) réfléchit à une stratégie de la lecture du poème.

Théâtre et Nouveau Roman

Marguerite Duras, Nathalie Sarraute, Claude Mauriac et Robert Pinget ont transposé à la scène leurs univers romanesques. Le langage des personnages ne sert pas à communiquer mais à révéler, par des paroles souvent vaines, leurs obsessions et leur solitude. Cette angoisse, créée par le langage, adopte des modalités différentes : interrogatoire mi-policier mi-psychiatrique dans *L'Amante anglaise* de Marguerite Duras ; intonation et lapsus révélateur dans *Les Mensonges* de Nathalie Sarraute ; rabâchage de vieillards chez Robert Pinget dans *Ici ou ailleurs.*

Intimisme et angoisse métaphysique

☐ Le théâtre de Loleh Bellon (née en 1925) aborde deux sujets : la représentation théâtrale (vue des coulisses ou des loges dans *Changement à vue,* 1978 ; vue à travers les angoisses de l'auteur dans *L'Eloignement,* 1987) et les relations entre femmes. La conduite d'un dialogue souvent tendre, humoristique et pudique donne à ses pièces tout un charme discret né de leur intimité.

☐ Bernard-Marie Koltès (1948-1989) crée une atmosphère de roman noir dans des pièces qui mettent en scène des marginaux en des lieux inhospitaliers. *Quai Ouest* (1985) évoque un suicide dans une grande ville, *Dans la solitude des champs de coton* (1986), le dialogue entre un « dealer » et son client. La mise en scène de Patrice Chéreau, inséparable de ces textes, donne toute leur importance aux bruits, aux lumières, à l'espace qui rendent la pièce séduisante.

Depuis les années 60, la suprématie des auteurs s'estompe au profit des metteurs en scène qui interprètent d'une façon moderne des auteurs classiques. On peut reconnaître plusieurs raisons à cette prépondérance du metteur en scène : la décentralisation théâtrale qui vise à ouvrir à un public toujours plus vaste le répertoire classique ; l'influence des metteurs en scène étrangers et l'émergence d'un théâtre collectif qui mêle auteur, acteur et metteur en scène. Plusieurs personnalités ont marqué profondément la scène française.

— Roger Planchon (né en 1931), directeur du théâtre de Villeurbanne. Élève de Vilar et disciple de Brecht, il cherche à dégager l'idéologie qui sous-tend les œuvres. Il la traduit dans une mise en scène baroque.

— Jean-Louis Barrault (né en 1910) et sa femme, Madeleine Renaud (née en 1900), se sont constamment renouvelés, en plus de 40 ans de carrière. Élève de Dullin — célèbre metteur en scène de l'entre-deux-guerres —, mime de formation, Jean-Louis Barrault traduit dans ses représentations les dimensions sensuelle et spirituelle du théâtre.

— Antoine Vitez (1930-1990) met au premier plan le travail de l'acteur (diction et gestuelle) dans des mises en scène de textes très variés.

— Patrice Chéreau (né en 1944), aidé de son décorateur, Richard Peduzzi, crée un nouvel espace scénique fait de hauts murs, éclairés souvent à contre-jour, et use de machineries et de fumées.

— Ariane Mnouchkine (née en 1939) crée le Théâtre du Soleil à la Cartoucherie de Vincennes. En donnant un rôle au public, elle fait du théâtre une fête collective.

Célèbres mises en scène contemporaines

Le Soulier de satin de Claudel par Jean-Louis Barrault.
La Dispute de Marivaux par Patrice Chéreau.
Peer Gynt de Ibsen par Patrice Chéreau.
Norodom Sihanouk de Hélène Cixous par Ariane Mnouchkine.
Tartuffe de Molière par Roger Planchon.
Don Juan de Molière par Antoine Vitez.

INDEX DES AUTEURS

INDEX DES ŒUVRES

Crédit photo

Édition : Valérie d'Anglejan - Agnès Fieux
Coordination artistique : Danielle Capellazzi
Conception Maquette : Studio Primart
Iconographie : Brigitte Célérier
Illustration de couverture : Pascal Pinet
Photocomposition Photogravure : SEDAG - PARIS V

N° d'éditeur : 10030915 - (V) - 29 - (OSBT) - 80
Sedag : septembre 1995
Imprimerie Jean-Lamour, 54320 Maxéville
95090105